腎機能《じんきのう》

慢性腎臓病・腎症
腎臓治療の名医が教える
最高の強化法大全

文響社

はじめに

みなさんは、「腎臓《じんぞう》」と聞いて、どんなことを思い浮かべるでしょうか。

体のどこにあるかとか、どんな働きをしているかなどを、くわしく話せる人はそれほど多くないのではないでしょうか。

それも無理はありません。腎臓は、どちらかといえば地味で無口な臓器だからです。たとえ腎臓の機能が低下しても、すぐに自覚症状が現れることはあまりありません。

しかし、腎臓は働き者です。私たちの体は、体内の環境を一定に保つ「ホメオスタシス（恒常性）」というしくみを備えていますが、そのうち、体液（血液など体内にある液体）の組成のバランスを取り、ナトリウム、カリウム、カルシウムなどの電解質の濃度、体液の量を一定に調整する働きをしているのが腎臓です。腎臓のおかげで、体内の水分量や塩分量などは、24時間、いつでもほぼ一定に保たれます。不要になったもの（老廃物）が体内にたまらないよう、腎臓がバランスを取って、尿として排出してくれるからです。

それほど重要な腎臓ですが、日本の慢性腎臓病の患者数は1330万人にも上り、その数は増えつづけています。

　患者数が増えている原因の一つは、慢性腎臓病が生活習慣病と深くかかわっているからです。高血圧・肥満・糖尿病など、食べすぎや運動不足から起こる生活習慣病の多くは、慢性腎臓病の発症リスクを高めることがわかっています。

　かつて腎臓病は、「いったん発症したら悪くなるいっぽう」という意味で「不治の病」といわれていました。確かに、一度悪くなった腎臓をすっかりもとどおりにすることはできません。しかし現在では、早い時期に発見して治療を始めれば、進行を食い止めることが可能です。腎機能の低下をきっかけに食生活や生活習慣を見直すことで、ほかの病気になる危険性を減らして元気に長生きする「一病息災」も可能です。

　本書は、腎臓の基本知識に加え、検査、透析を含む治療、食事・運動療法などにかんする、患者さんのさまざまな疑問や不安に、腎臓専門医が最新の情報をもとに答える構成になっています。

　腎機能の低下を感じたみなさんが、きちんと医師の診療を受けるとともに、本書を参考に、大切な腎臓の機能を、できるかぎり長く維持していけるよう願っています。

川村哲也

解説者紹介①　※掲載順

東京慈恵会医科大学客員教授
愛宕フォレストタワー健康相談クリニック院長

川村哲也《かわむらてつや》先生

1979年、東京慈恵会医科大学卒業。1988～1991年、米国バンダービルト大学小児腎臓科へ留学。2001年、東京慈恵会医科大学准教授、同大学附属第三病院腎臓・高血圧内科診療部長を経て、2013年より同大学教授。2014年より同大学附属病院臨床研修センター長。2020年より同大学客員教授、愛宕グリーンヒルズフォレストタワー健康相談クリニック院長に就任。

腎臓病の臨床と研究のほか腎臓病の知識の啓蒙に努めている。

医学博士。日本腎臓学会評議員。腎臓専門医。著書多数。

筑波大学医学医療系
腎臓内科学教授

山縣邦弘《やまがたくにひろ》先生

1984年、筑波大学医学専門学群卒業。筑波大学内科、日立総合病院腎臓内科主任医長、米国オレゴン大学分子生物学研究所、筑波大学臨床医学系内科助教授などを経て、2006年、筑波大学大学院人間総合科学研究科疾患制御医学専攻腎臓病態医学分野教授、2014年、筑波大学医学医療系臨床医学域長（併任）、2016年、筑波大学附属病院副病院長。

厚生労働科学研究費補助金腎疾患対策研究事業 FROM-J の研究代表者も務める。

医学博士。日本腎臓学会評議員。腎臓専門医。著書多数。

解説者紹介②　※掲載順

東北大学大学院医学系研究科
内部障害学分野教授

上月正博《こうづきまさひろ》先生

1981年、東北大学医学部卒業。メルボルン大学内科招聘研究員、東北大学医学部附属病院講師を経て、2000年、東北大学大学院内部障害学分野教授、2002年、東北大学病院リハビリテーション部長（併任）、2008年、同障害科学専攻長（併任）、2010年、同先進統合腎臓科学教授（併任）。日本腎臓リハビリテーション学会理事長、日本リハビリテーション医学会副理事長などを歴任。医学博士。日本腎臓学会評議員。腎臓専門医。リハビリテーション科専門医。総合内科専門医。高血圧専門医。腎臓リハビリテーション指導士。『腎臓病は運動でよくなる』（マキノ出版）など著書多数。

順天堂大学名誉教授
医療法人社団松和会理事長

富《とみ》野《の》康《やす》日《ひ》己《こ》先生

1974年、順天堂大学医学部卒業。1988年、順天堂大学医学部腎臓内科学講座助教授、1994年、教授に就任。ハノイ医科大学、香港大学、マラヤ大学、フエ医科大学、高雄医学大学、インドネシア大学など各国の大学で客員教授を務める。2004年、順天堂大学医学部附属順天堂医院副院長、2006年、順天堂大学医学部長、順天堂大学理事。2015年、順天堂大学名誉教授、医療法人社団松和会常務理事。2019年より医療法人社団松和会理事長。医学博士。専門は腎臓内科学。日本腎臓学会、日本糖尿病学会、日本透析医学会、アジア太平洋腎臓学会などに所属。著書多数。

目次

はじめに　2
解説者紹介　4

第1章　腎臓についての疑問10 …… 15

Q1　腎臓はどこにあるのですか？　大きさや形はどのくらいですか？　16
Q2　腎臓はどんなつくりをしていますか？　18
Q3　腎臓はどんな働きをしているのですか？　20
Q4　血液中の老廃物を除去するとは、具体的にどんなしくみですか？　22
Q5　腎臓の働き「腎機能」が低下するとどうなるのですか？　23
Q6　腎機能が低下すると、排尿にどんな異常が現れますか？　25
Q7　腎機能が低下すると、尿の状態にはどんな異常が現れますか？　27
Q8　腎機能が低下すると、体にはほかにどんな異常が現れますか？　28
Q9　腎機能の低下を放置すると、どうなりますか？　29
Q10　腎機能はどんな原因で低下するのですか？　30

第2章　腎臓の病気についての疑問22 …… 31

Q11 健康診断で尿たんぱくを指摘されました。どこに問題がありますか？ 32
Q12 血清クレアチニンの検査で異常値が出ました。腎臓病なのでしょうか？ 33
Q13 腎臓病には急性と慢性があるそうですが、どう違いますか？ 34
Q14 慢性腎臓病（CKD）が増えているそうですが、どんな病気ですか？ 35
Q15 慢性腎臓病に診断基準はありますか？ 37
Q16 慢性腎臓病が進むと、ほかの臓器にも異常が起こりますか？ 38
Q17 慢性腎臓病の原因になるというネフローゼ症候群について教えてください。 39
Q18 糖尿病性腎症といわれました。大丈夫でしょうか？ 40
Q19 肥満関連腎症という言葉を聞きました。どんな病気ですか？ 41
Q20 腎硬化症は、どのような腎臓病ですか？ 42
Q21 IgA腎症（慢性糸球体腎炎）について教えてください。 43
Q22 多発性嚢胞腎と診断されました。どんな病気ですか？ 44
Q23 聞き慣れないループス腎炎といわれました。原因はなんですか？ 45
Q24 腎盂腎炎とは、どんな病気ですか？ 46
Q25 痛風腎と診断されました。どんな病気ですか？ 47
Q26 腎臓病の合併症で腎性高血圧とはどんな病気ですか？ 48
Q27 腎性貧血といわれました。大丈夫でしょうか？ 49
Q28 高カリウム血症とは、どんな状態ですか？ 50
Q29 高リン血症になると、どうなりますか？ 51
Q30 低カルシウム血症に注意といわれました。なぜですか？ 52

Q31 代謝性アシドーシスとはなんですか？ 53
Q32 尿毒症では、どんな症状が現れますか？ 54

第3章 慢性腎臓病の病期についての疑問7 …… 55

Q33 慢性腎臓病には重症度のステージがあるそうですね？ 56
Q34 GFR区分のG1～G2はどんな状態ですか？ 58
Q35 GFR区分のG3はどんな段階ですか？ なぜaとbに分かれているのですか？ 60
Q36 G4になると、もう腎不全になってしまうのですか？ 62
Q37 G5になると、腎臓や体はどうなりますか？ 64
Q38 慢性腎臓病は早く対策すれば透析を回避できますか？ 65
Q39 慢性腎臓病は「不治の病」といわれました。本当ですか？ 66

第4章 診察・検査・診断についての疑問16 …… 67

Q40 慢性腎臓病を指摘されたら何科を受診すればいいですか？ 68
Q41 良医の探し方はありますか？ 69
Q42 慢性腎臓病で糖尿病もある場合、どの科で診てもらえばいいですか？ 70
Q43 慢性腎臓病で行われる尿検査について教えてください。 71
Q44 尿たんぱく検査は何を見ますか？ 72
Q45 尿潜血検査は腎臓病とどう関係するのですか？ 73
Q46 微量アルブミン尿の検査についてくわしく教えてください。 74

Q47 家庭で尿をチェックする方法があるそうですね？ 75
Q48 慢性腎臓病に関係する血液検査の項目はなんですか？ 76
Q49 血清クレアチニン値が高いといわれました。何が問題ですか？ 77
Q50 血清シスタチンCの検査を受けました。何がわかりますか？ 78
Q51 血中尿素窒素（BUN）の検査では何を見ますか？ 79
Q52 腎機能を示すGFRとeGFRは何がどう違うのですか？ 80
Q53 腎機能がどのくらい残っているか、どう調べるのですか？ 81
Q54 慢性腎臓病では画像検査は行わないのですか？ 86
Q55 腎生検が必要といわれました。どんな検査ですか？ 88

第5章 治療についての疑問16

第5章 治療についての疑問16 …… 89
Q56 慢性腎臓病の治療はどのように行いますか？ 90
Q57 ネフローゼ症候群の治療について教えてください。 92
Q58 糖尿病性腎症の治療法について教えてください。 93
Q59 腎硬化症はどのようにして治療しますか？ 95
Q60 IgA腎症（慢性糸球体腎炎）の治療法について教えてください。 97
Q61 多発性嚢胞腎の治療はどう行いますか？ 99
Q62 腎盂腎炎の治療はどう行うのですか？ 101
Q63 ループス腎炎の治療は何をしますか？ 102
Q64 痛風腎にはどんな治療がありますか？ 103

Q65 市販の鎮痛薬やカゼ薬、胃薬は飲んでも大丈夫ですか？ 104
Q66 体重に目標値はありますか？ 105
Q67 血圧管理が重要のようですが、目標値は何ミリですか？ 106
Q68 血糖値はどこまで下げればいいですか？ 107
Q69 血中脂質は関係ありますか？ 108
Q70 尿酸値の管理目標はありますか？ 109
Q71 慢性腎臓病の合併症を抑える薬はありますか？ 110

第6章 食事療法についての疑問36 …… 111

Q72 食事療法は重症度ごとにやり方が変わるのですか？ 112
Q73 G1～G2では食事で何に注意が必要ですか？ 114
Q74 G3以上の食事では、どんな制限がありますか？ 116
Q75 G5での食事で注意すべきことはなんですか？ 118
Q76 減塩を強くすすめられました。どうすればいいですか？ 119
Q77 減塩がうまくいきません。いい方法はありませんか？ 121
Q78 塩分の計算法を教えてください。 123
Q79 主食は、ご飯とパンではどちらがいいですか？ 124
Q80 玄米が体にいいと聞きますが、食べて大丈夫ですか？ 125
Q81 主食を食べるさい血糖値の急上昇を防ぐ方法はないですか？ 126
Q82 塩分が多い要注意の食品はなんですか？ 127

Q83 外食ではどんな献立に注意すべきですか？ 128
Q84 1日にカロリーはどのくらいとっていいのですか？ 129
Q85 カロリー制限がうまくいきません。いい方法は？ 130
Q86 油脂のとり方で注意はありますか？ 131
Q87 脂質異常がなかなかよくなりません。どうすればいいですか？ 132
Q88 動脈硬化が心配です。何を食べればいいですか？ 133
Q89 高尿酸血症といわれています。腎臓を守るため注意すべきことは？ 134
Q90 腎機能の強化のためにとるべき食品はありますか？ 135
Q91 酢は健康にいいと聞きますが、とったほうがいいですか？ 137
Q92 肉はどう選べばいいですか？ 138
Q93 食べる順番は気にしなくていいですか？ 139
Q94 食べ方で注意すべきことはないですか？ 140
Q95 食材の選び方で注意点はありませんか？ 141
Q96 1日2食とか1日1食にしたほうが、カロリーも塩分も減らせていいのではないですか？ 142
Q97 飲み物は何を飲めばいいですか？ 143
Q98 お菓子や果物は食べても大丈夫ですか？ 144
Q99 食事療法がうまくいきません。どうすればいいですか。 145
Q100 外食ではどんなことに注意すればいいですか？ 146
Q101 たんぱく質も制限しないといけないのですか？ 147
Q102 たんぱく質を制限するとカロリー不足になります。防ぎ方はありますか？ 149

Q103 カリウムの制限はどうすればいいですか？ 150
Q104 リンの制限が難しいです。どうやればいいですか？ 152
Q105 水分摂取で気をつけることはなんですか？ 153
Q106 慢性腎臓病で食事療法中ですが、糖質制限を試していいですか？ 155
Q107 お正月に食べすぎてしまいました。大丈夫でしょうか？ 156

第7章 運動療法についての疑問8 …… 157

Q108 慢性腎臓病は安静が大事といわれていたのに、運動して大丈夫ですか？ 158
Q109 運動をしてはいけないのは、どんな場合ですか？ 160
Q110 どんな運動をするのがいいですか？ 161
Q111 大学病院でも実施されている「腎臓体操」について教えてください。 163
Q112 ウォーキングは、1日1万歩歩かないといけませんか？ 168
Q113 筋トレはなぜ必要ですか？　何をすればいいですか？ 170
Q114 腎臓体操や筋トレは、どのくらいの運動量と頻度で行いますか？ 174
Q115 主治医が運動のことにくわしくありません。どうすればいいですか？ 176

第8章 生活習慣についての疑問17 …… 177

Q116 仕事をするうえで注意すべきことはありますか？ 178
Q117 自己管理のために毎日やるべきことはありますか？ 179
Q118 禁煙しなければいけませんか？ 180

Q119 飲酒はやめなくてもいいですか？ 181
Q120 夏に注意すべきことはありますか？ 182
Q121 冬に注意すべきことはなんですか？ 183
Q122 入浴で注意点はありますか？ 184
Q123 トイレで注意すべきことはありますか？ 185
Q124 最近話題の腸活は腎臓病対策にもいいですか？ 186
Q125 足のむくみがつらいです。解消法はないですか？ 187
Q126 歯周病が腎臓病に関係するとは本当ですか？ 188
Q127 睡眠について注意点はありますか？ 189
Q128 市販薬なら利用しても大丈夫ですか？ 190
Q129 新型コロナウイルスに感染すると重症化しやすいですか？ 191
Q130 家で過ごす時間が多いのですが、注意することはありますか？ 192
Q131 慢性腎臓病でも性生活を営めますか？ 193
Q132 腎臓病が不安でしかたがありません。どうすればいいですか？ 194

第9章 透析・腎移植についての疑問18

第9章 透析・腎移植についての疑問18 …… 195
Q133 どんな状態になったら透析が必要になりますか？ 196
Q134 透析にはどんな種類がありますか？ 197
Q135 血液透析とはどのような方法ですか？ 198
Q136 血液透析では、なぜシャント手術が必要なのですか？ 199

Q137 血液透析はどのようなしくみで行うのですか？ 200
Q138 血液透析はどのくらいの時間と頻度で行われますか？ 201
Q139 血液透析をしていれば、生活習慣はさほど気をつけなくていいですか？ 202
Q140 血液透析は在宅でできないのですか？ 203
Q141 血液透析ではどんな合併症が起こりますか？ 204
Q142 腹膜透析とはどのような方法ですか？ 205
Q143 腹膜透析はどのくらいの時間と頻度で行いますか？ 206
Q144 腹膜透析ではどんな合併症が心配ですか？ 207
Q145 透析患者も運動療法を行ったほうがいいですか？ 208
Q146 透析患者が災害に遭ったときはどうすればいいですか？ 209
Q147 透析患者でも旅行に出かけられますか？ 210
Q148 透析を始めても腎臓を体内に残しておいていいものですか？ 211
Q149 慢性腎臓病で手術を行うことはありますか？ 212
Q150 腎移植はどうすれば受けられますか？ 213

第 1 章

腎臓についての疑問 10

Q1 腎臓はどこにあるのですか？ 大きさや形はどのくらいですか？

腎臓《じんぞう》は、体の背中側にあります。高さはヘソより少し上あたり、横隔膜の下、背骨寄りの位置に、背骨を挟むようにして左右1対（1つずつ）の腎臓があります。

腎臓は左右1対ですが、完全に左右対称というわけではありません。背中から見て右側の腎臓は、左側よりも1～2センチほど下の位置にあります。これは、すぐ上にある大きな臓器の肝臓に少し押し下げられているためです。

成人の腎臓は、縦10～12センチ×横5センチ×厚さ3センチで、握りこぶしより少し大きいくらいの大きさです。重さは1つ当たり約120～150グラム（卵2個分くらい）です。

形は、よくソラマメにたとえられますが、中央内側が少しくぼんだ楕円《だえん》形です。中央のくぼんだところを「腎門」といい、腎臓とほかの臓器との接続部分で、腎動脈、腎静脈、尿管などが集まっています。

腎動脈は体の中心を通る腹部大動脈に、腎静脈は同じく中心を通る下大静脈に、尿管は膀胱《ぼうこう》につながっています。

（川村哲也）

腎臓の位置

■体を正面から見た図

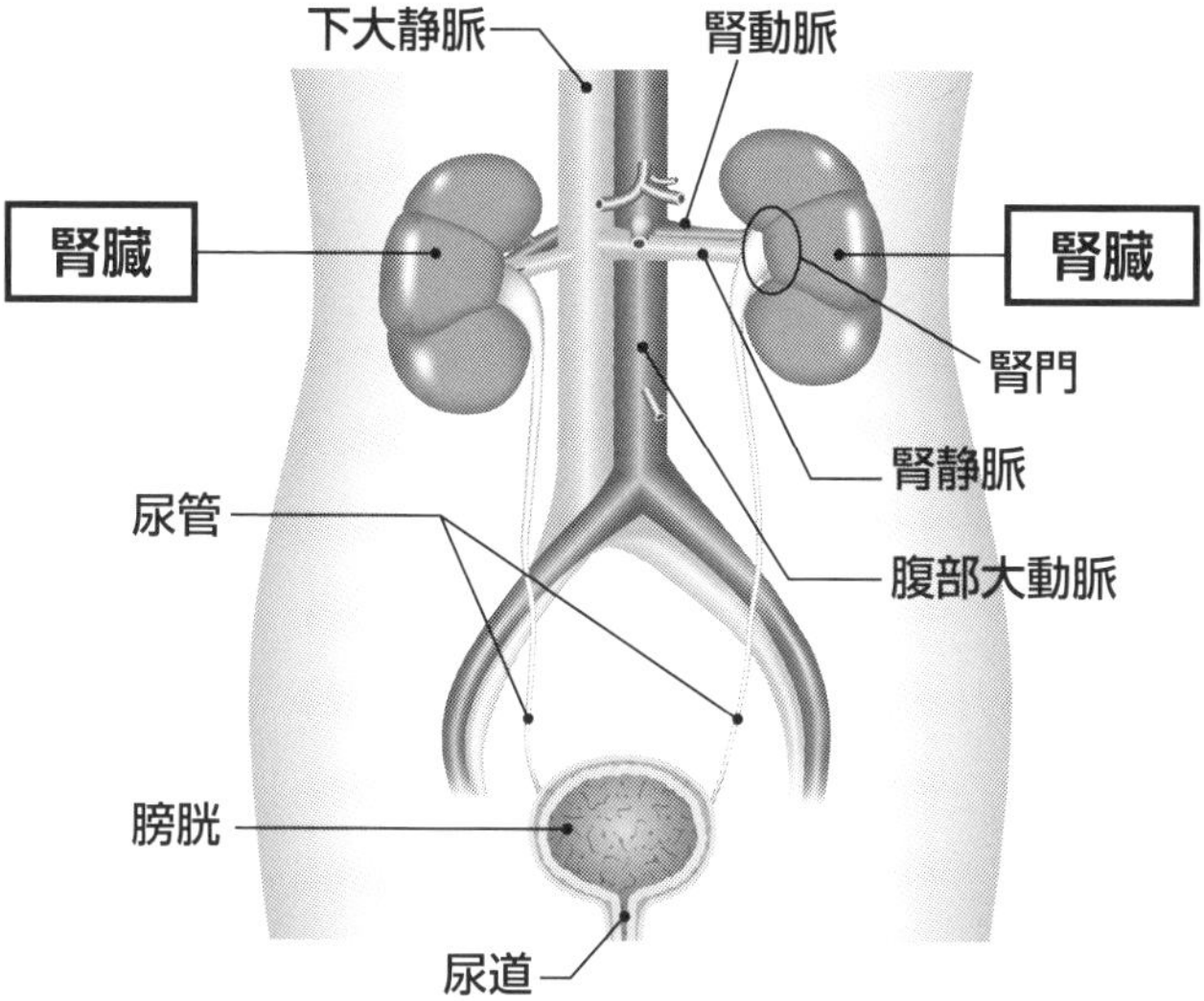

■体を真下から見た図

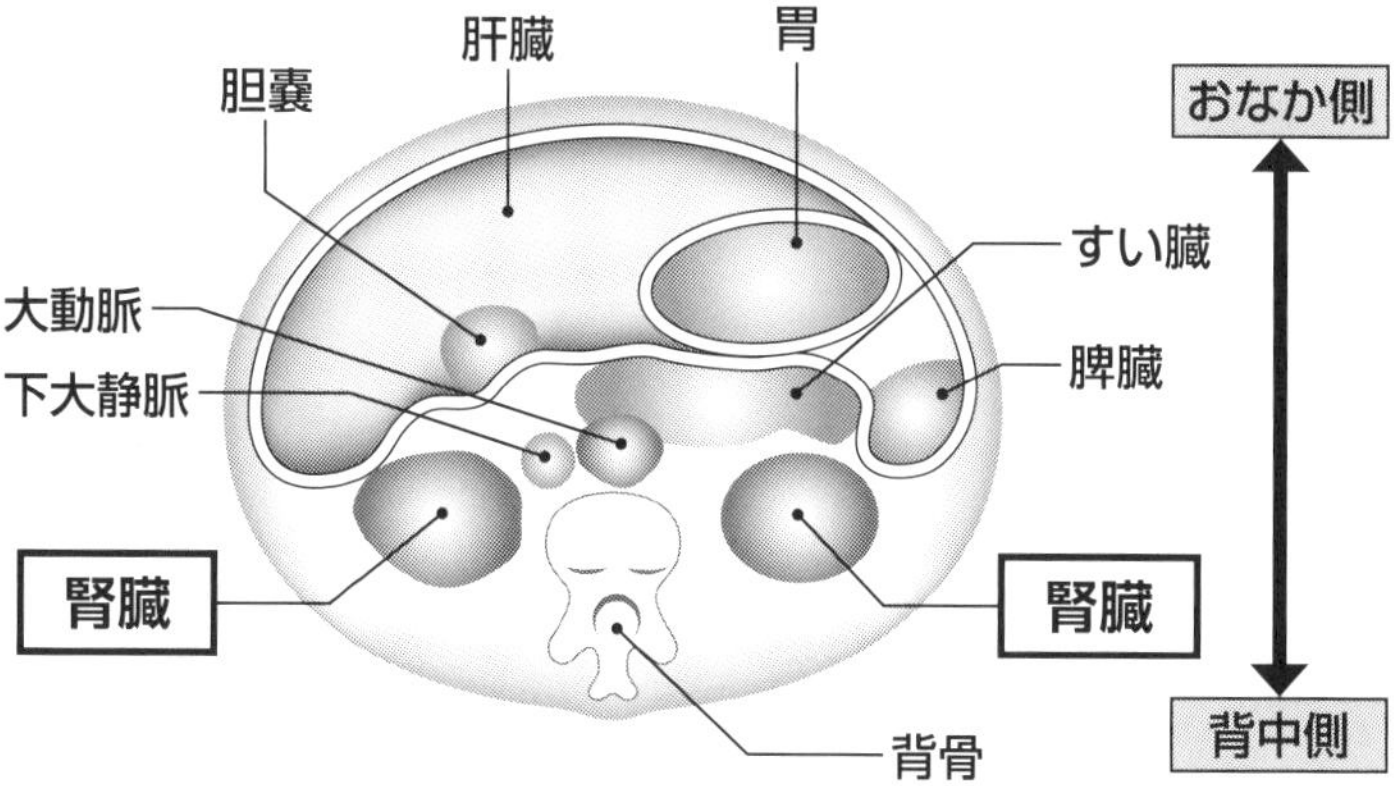

Q2 腎臓はどんなつくりをしていますか？

腎臓《じんぞう》の断面図（次ジペー）を見ると、外側全体に腎皮質、その内側に十数個の髄質《ずいしつ》（腎《じん》錐体《すいたい》）があり、中心に腎盂《じんう》があります。腎皮質や髄質にある微細な組織が、腎臓の働きを担っています。

腎皮質には糸球体という毛細血管が球のように丸まっている組織があります。糸球体はとても小さく、直径0・2ミリより小さいほどです。糸球体はボーマン嚢《のう》という袋状の組織に覆われています。

ボーマン嚢につながる尿細管は腎皮質と髄質にまたがって伸び、糸球体に近いほうから近位尿細管、ヘンレ係蹄《けいてい》（ループ）、遠位尿細管、集合管といいます。これら全体で4〜7チセンの長さがあります。尿細管は、尿を膀胱《ぼうこう》へ運ぶ尿管につながっています。糸球体とボーマン嚢を合わせて「腎小体」といいます。この腎小体1個と尿細管1本でできたユニットを「ネフロン」といいます。

ネフロンは腎臓1つ当たり約100万個あり、2つの腎臓を合わせると、約200万個という膨大な数のネフロンがあることになります。

（川村哲也）

腎臓の構造

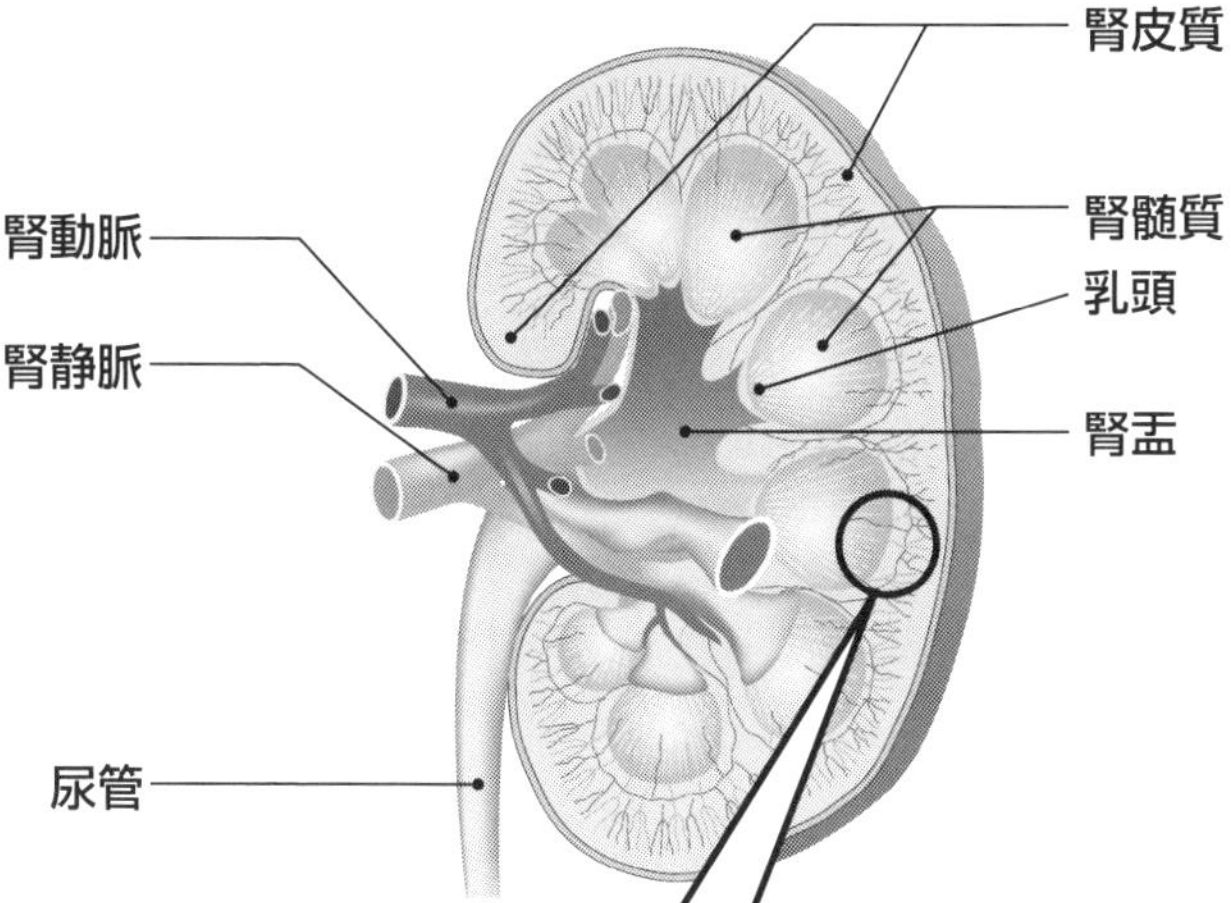

■ネフロンの構造

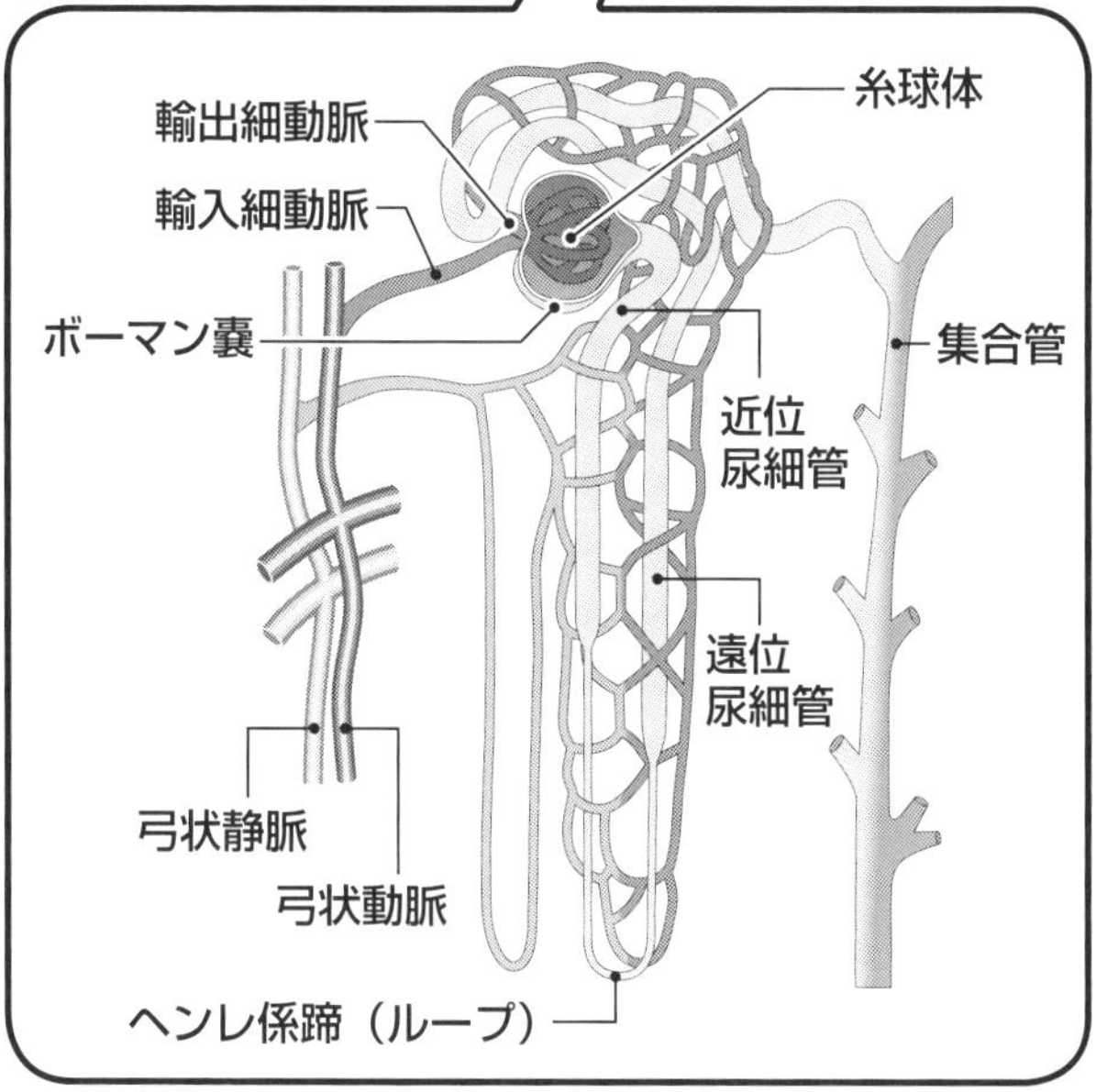

Q3 腎臓はどんな働きをしているのですか？

腎臓《じんぞう》は、体液（体内に存在する水分）のバランスを一定に保つために、血液をろ過したり、老廃物や水分を尿という形にして排泄《はいせつ》したりする働きをしています。

①血液中の老廃物を除去する……腎臓の最も重要な働きです。心臓から送り出されて私たちの体内を巡る血液は、酸素や栄養素を全身に送り届けますが、老廃物（二酸化炭素、尿素、クレアチニン、アンモニアなど）も血液に溶け込んで運ばれてきます。老廃物はそのままにしておくと体に有害なので、排泄しなければなりません。この役割を担っているのが腎臓です。老廃物などを運んできた血液は、腎臓の糸球体（19ジ《ペー》参照）でろ過されます。そのさい、サイズの大きい赤血球や白血球、分子の大きな血漿《けっしょう》の成分などは血液の中に残りますが、水分や分子の小さな老廃物、塩分、電解質などはボーマン嚢《のう》へと出ていき、「原尿」となります。

②体内の水分を調節する……①で説明した原尿は、成人で1日当たり150トル《リッ》もの量になります。これがそのまま排泄されたら、脱水症状を起こしてしまいます。そこで、尿細管を通る間に、原尿から水分が約99％回収され、血液に戻されます。残っ

た約１％の１・５ℓ《リットル》ほどが尿となり、膀胱《ぼうこう》を通じて体外へ排出されることになります。

③電解質を調節する……電解質（水に溶けると陽イオン、陰イオンに分かれ、電気を帯びる物質。ナトリウム、カリウム、カルシウム、マグネシウム、リン、クロールなど）や重炭酸は、体内で、血圧の調整や筋肉の収縮、神経の情報伝達などの働きをしています。これらは糸球体ではろ過されず、尿細管を通る間に、必要なものが必要な量だけ再吸収されます。

④血液の酸・アルカリのバランスを調節する……栄養素が体に吸収される過程でできる血液中の酸性物質は、尿細管から尿管を経て、尿として排出されます。この働きによって私たちの体は、通常pH（水溶液の酸性・アルカリ性の程度を示す指数。７で中性）７・４前後の弱アルカリ性に保たれています。

⑤ホルモンをつくる……腎臓には造血ホルモン（赤血球を増やす）、血圧調整ホルモンなどをつくり、血糖（血液中のブドウ糖濃度）を低下させるホルモンを分解する働きがあります。また、カルシウムの吸収を促進し、骨への沈着を促す、活性型ビタミンDをつくる働きもあります。

（川村哲也）

Q4 血液中の老廃物を除去するとは、具体的にどんなしくみですか?

腎《じん》動脈から分かれた輸入細動脈はボーマン嚢《のう》に入って毛細血管となり、糸球体を形成しています。糸球体はふるいのような構造で、流れ込んできたものを分子の大きさによって分別し、血液をろ過しています（19ジの図参照）。糸球体に流れ込んだ血液に含まれる物質のうち、分子の大きなたんぱく質や赤血球などは毛細血管から外へ出ることができず、水分と小さな分子の老廃物（二酸化炭素、尿素、クレアチニン、アンモニアなど）や、塩分、電解質、ブドウ糖、アミノ酸、ビタミンなどがボーマン嚢の内側へこし出されて、尿細管へと運ばれます。これが糸球体によるろ過のしくみです。

糸球体の毛細血管は合流して輸出細動脈になり、ボーマン嚢から出ていきます。輸出細動脈は尿細管の周囲で再び毛細血管になりますが、そのさい、糸球体からいったん流れ出た塩分やブドウ糖などのうち体に必要なものを、尿細管から再吸収します。

こうして、本当に不要なものだけが尿細管から集合管へと送られ、尿となって体外へ排出されるのです。

（川村哲也）

Q5 腎臓の働き「腎機能」が低下するとどうなるのですか？

腎《じん》機能が低下すると、次のような症状が現れます。

①尿毒症……腎機能が低下して血液中の老廃物が排泄《はいせつ》しきれないと、その影響は全身に及びます。軽い場合はだるさを感じる程度ですが、この状態が悪化して脳、心臓、肺などの臓器の機能が著しく低下した状態を尿毒症といい、放置すれば数日から数週間で死に至る、恐ろしい合併症です（54ページ参照）。

②むくみ……十分に排泄されなかった水分が血管やリンパ管の外へ染み出し、皮膚の下の組織にたまった状態で、皮膚を指で10秒以上強く押すと、へこみが残ります。体重が2～3キロ増える程度でも足首からふくらはぎや顔などにむくみが出て、重だるさや痛みを感じます。体重が5キロ以上増えると全身がむくんで肺水腫《はいすいしゅ》（肺のなかに水が染み出てたまる状態）になることがあり、呼吸困難を起こすので、緊急治療が必要です。

③電解質異常……体内で血圧や筋肉の働きを調整する電解質のバランスがくずれ、そ

れらの働きが悪化することで、さまざまな症状が起こります。主なものとして高カリウム血症（血液中のカリウム濃度が高い。筋力低下、不整脈、吐きけ、嘔吐《おうと》、しびれや感覚障害）、低ナトリウム血症（血液中のナトリウム濃度が低い。だるさ、意識障害、けいれん）、高ナトリウム血症（血液中のナトリウム濃度が高い。のどの渇き、興奮、けいれん）などがあります。

④**酸性・アルカリ性のバランスがくずれる**……体内が酸性に傾いた状態を「アシドーシス」といい、吐きけ、頭痛、疲労感から錯乱、不安、睡眠障害を起こすことがあります。逆に、アルカリ性に傾いた状態を「アルカローシス」といい、ぼんやりする、錯乱、けいれん、失神といった症状に至ることがあります。どちらも重症化すると突然死することがあります。

⑤**ホルモンの分泌《ぶんぴつ》やビタミンの利用がうまくいかない**……造血ホルモン（エリスロポエチン）の分泌がうまくいかずに不足すると貧血に、血圧を下げるホルモン（キニン、カリクレイン、プロスタグランジン）が不足すると高血圧症になります。血圧を上げるホルモン（レニン）が過剰に分泌される場合もあります。ビタミンDを腎臓で活性化（体内で利用できる形にすること）できなくなると、カルシウムの骨への沈着が減り、骨軟化症《こつなんかしょう》などの骨の病気になることもあります。

（川村哲也）

Q６ 腎機能が低下すると、排尿にどんな異常が現れますか？

腎臓《じんぞう》や泌尿器系《ひにょうき》の機能が低下すると、排尿に次のような異常が現れます。

①頻尿

排尿の回数が増えることです。1日8〜10回以上、夜間に2回以上トイレに起きるような場合は、頻尿と診断されます。健康な人の排尿は、通常は昼間に4〜5回、夜間は0〜1回程度です。頻尿には、腎機能の低下により尿の総量が増えて回数が増えている場合（多尿。②参照）と、尿の総量は変わらないのに回数だけが増えている場合（1回の尿量が少ない）があります。

回数だけ増えて、排尿困難（尿意はあるのに尿が出ない）がある場合、高齢の男性に多いのは前立腺《せん》肥大症（前立腺という器官が大きくなり尿道を圧迫する病気）です。これを放置すると、排泄《はいせつ》しきれなかった尿（残尿）が尿管や腎盂《じんう》（19ジペー参照）を圧迫して水腎症を引き起こし、腎機能の低下を招くことがあります。

頻尿に加えて排尿痛（排尿のさいに痛みを感じる）もある場合は、尿道炎や膀胱《ぼうこう》炎、尿路結石の疑いがあります。尿道や膀胱の細菌が腎盂に達すると、腎盂腎炎という感染症を起こすことがあり、慢性化すれば腎臓にダメージを与えるので注意が必要です。

②多尿

尿の量が増えることです。腎臓の尿を濃縮する機能の低下から、尿細管で水分を再吸収することができなくなると尿量が増え、１日３リットル以上になると多尿と診断されます。多尿になると体内の水分量が減るため、のどが渇いて異常に水分を多くとる「多飲」にもなります。多飲によりまた多尿となり、またのどが渇いて多飲になるというくり返しが起こります。多尿をきたす疾患《しっかん》の１つとして、尿細管からの水分の吸収を促す抗利尿ホルモンが脳下垂体から分泌《ぶんぴつ》されない疾患を「中枢性尿崩症《にょうほうしょう》」といいます。健康な人の尿の量は、通常、１日１～２リットルです。

③乏尿・無尿

尿の量が少ないことを乏尿といい、１日の尿量が４００～５００ミリリットル以下になった状態のことです。尿量が１００ミリリットル以下になると、無尿といいます。乏尿・無尿になると、血液中の老廃物が排泄しきれず尿毒症を起こしたり、水分が体内にたまってむくみ、肺水腫《はいすいしゅ》などの原因になったり、電解質異常から高カリウム血症（24ページ参照）を起こしたりすることがあります。

（川村哲也）

Q7 腎機能が低下すると、尿の状態にはどんな異常が現れますか？

①血尿……炎症を起こした糸球体が出血し、血液が尿にまじるものです。赤い色でなくても、検査で調べると血液がまじっている（顕微鏡的）血尿もあります。

②たんぱく尿……分子の大きいたんぱく質は、通常は糸球体でこし取られ、尿細管へ流れ出ることはありませんが、炎症を起こした糸球体の毛細血管の壁がもろくなると、たんぱく質が尿中にもれ出てしまいます。排尿時に泡立ちがあり、泡がなかなか消えない場合は、たんぱく尿の疑いがあります。

③ミオグロビン尿、膿尿《のうにょう》、糖尿……ミオグロビン尿は、激しい運動などで傷ついた筋肉中のミオグロビンという成分が尿に溶け出て、尿がコーラのような色になるものです。通常は一過性ですが、だるさなどの症状が続く場合は、横紋筋融解症《おうもんきんゆうかいしょう》などによる急激な腎《じん》機能低下の疑いもあります。膿尿は、腎臓や尿路などの感染症で尿に膿《うみ》（白血球の死骸《しがい》）がまじるものです。糖尿は、糖尿病で増えた血液中の糖が尿細管で再吸収しきれず尿中に排泄《はいせつ》されるため、糖が尿にまじるものです。（川村哲也）

Q8 腎機能が低下すると、体にはほかにどんな異常が現れますか？

①発熱、尿のにおい……腎盂腎炎《じんうじんえん》（尿道から膀胱《ぼうこう》に入った細菌により起こる炎症）、腎膿瘍《じんのうよう》（腎臓に起こる化膿性の炎症）などの感染症で熱が出ることがあります。排尿時のアンモニア臭などと併せて熱があれば急性の腎臓の感染症の疑いがあります。

②背中や腰、わき腹の痛み……腎盂腎炎などの炎症で痛みを感じることがあります。

③全身のかゆみ……尿毒症（54ページ参照）に陥ると排泄《はいせつ》しきれなかった老廃物が体内にたまり、かゆみを感じる組織を刺激して、かゆみが生じます。

④口臭……尿毒症に陥ると排泄しきれなかった老廃物の影響で、アンモニアのような口臭がすることがあります。

⑤食欲不振・吐きけ・嘔吐《おうと》……尿毒症により、食欲不振になったり、吐きけを感じたり、嘔吐したりすることがあります。

⑥息苦しさ……尿毒症に陥ると過剰な水分で肺水腫《はいすいしゅ》を起こし、息苦しさ、強いだるさを感じることがあります。

（川村哲也）

Q9 腎機能の低下を放置すると、どうなりますか？

健康診断などで腎《じん》機能の低下を示す結果が出ても、初期のうちは自覚症状がないためそのままにしてしまい、知らないうちに病気が進行する場合も少なくありません。ゆっくりと慢性的に悪化した腎機能は、自然にもとに戻ることはなく、どんどん進行していきます。腎機能の低下が軽度なうちに適切な治療をすれば、進行を抑えたり、回復したりすることも望めますが、正しい治療をせず放置すれば、最終的には末期の腎不全に陥り、血液透析や腹膜透析、腎移植をしないかぎり、尿毒症を起こして死に至ります。また、腎機能の低下が軽度であっても、脳卒中や心筋梗塞《こうそく》、心不全などの心血管病にかかるリスクが高くなることが明らかになっています。慢性腎臓病になると、そうでない人に比べて心血管病の発病率が約3倍に達し、死亡率も高まっていくことがわかっています（38ページ参照）。

今は腎機能の低下も軽く、尿に異常はないものの、高血圧や糖尿病、脂質異常症、内臓脂肪型肥満などの人は、慢性腎臓病になる危険が高い「ハイリスク群」です。腎機能の低下を決して放置せず、早期治療が肝心です。

（川村哲也）

Q10 腎機能はどんな原因で低下するのですか？

①加齢……年を取るにつれてネフロンの数が減少し、腎《じん》機能が低下していきます。

②遺伝……多発性嚢胞腎《のうほうじん》という病気は、遺伝する場合があります（44ページ参照）。

③糖尿病……糖尿病で高血糖（血液中の糖濃度が高い状態）が続くと、ドロドロになった血液で糸球体が傷つき、糖尿病性腎症という合併症を引き起こし、ろ過機能を損ないます（40ページ参照）。

④高血圧……毛細血管に負担がかかり、糸球体が傷ついて、腎機能が低下します。

⑤脂質異常症……悪玉コレステロール（LDL）や中性脂肪が多くなりすぎると動脈硬化を引き起こし、腎臓への血流が悪くなって、腎機能を低下させます。

⑥肥満、内臓脂肪型肥満（メタボリックシンドローム）……肥満に伴う高血圧などによる動脈硬化症からくる腎臓病（腎硬化症）のほか、脂肪細胞から分泌《ぶんぴつ》される物質が原因となって、糸球体の正常な機能を損ないます（肥満関連腎症。41ページ参照）。

⑦暴飲暴食・ストレス・睡眠不足・喫煙……暴飲暴食は水分や老廃物処理で腎臓に負担をかけ、ストレスなどは腎臓への血流悪化から腎機能低下を招きます。（川村哲也）

第2章

腎臓の病気
についての疑問22

Q11 健康診断で尿たんぱくを指摘されました。どこに問題がありますか？

腎臓《じんぞう》の糸球体は、血液中のさまざまな物質を、分子の大きさによってろ過する働きをしています（20ページ参照）。血液中のたんぱく質は分子が大きいため、通常は血管から外へもれ出ることはありません。ところが、糸球体がなんらかの理由で傷つき、糸球体の毛細血管の壁がもろくなると、たんぱく質が血液中へもれ出てしまいます。もれ出たたんぱく質は尿細管から尿管、膀胱《ぼうこう》へと運ばれ、尿にまじって排出されます。これが健康診断などの尿検査で検出されたものが「尿たんぱく」です。

つまり、「尿たんぱくが陽性（検出される）」ということは、「糸球体を構成する毛細血管が傷ついている」「腎臓の機能に問題がある」ということの現れなのです。さらに、腎臓以外の脳や心臓など、ほかの器官の毛細血管にも障害が起きている可能性があり、尿たんぱくは心血管病の危険因子でもあります。

なお、たんぱく尿のなかでもアルブミン尿は、糸球体の毛細血管が傷ついたことを早い段階で知らせる指標で、腎機能低下の早期発見に役立ちます。

（川村哲也）

Q12 血清クレアチニンの検査で異常値が出ました。腎臓病なのでしょうか？

クレアチニンは、筋肉を動かしたときに、クレアチンという物質をエネルギーとして使うとできる老廃物の一種で、通常は尿にまじって排出されます。腎《じん》機能が低下すると、尿への排出が十分行われず、血液中のクレアチニンの量が多くなり、正常とされる範囲を超えると「異常値」とされます。ただし、腎臓《じんぞう》のろ過機能が正常でも、筋肉量の多い人は血清クレアチニン値が高くなることがあります。逆に、筋肉量が少ない高齢者などでは、ろ過機能が低下しているのにクレアチニンの検査値が低く出て、正常範囲内に収まってしまうこともあります。また、ふだん腎臓は全能力を使っているわけではなく、予備能力があります。そのため、腎機能の低下が軽いうちは、血清クレアチニン値に異常が現れないこともあります。

そのため、血清クレアチニン値が正常か、軽度な異常でも、腎機能低下が疑われる場合は、糸球体と尿細管の1分間のクレアチニンろ過能力を調べる「クレアチニン・クリアランス」という、よりくわしい尿検査が行われることがあります。

（川村哲也）

Q13 腎臓病には急性と慢性があるそうですが、どう違いますか？

急性腎《じん》炎症候群は、細菌やウイルスによって糸球体が炎症を起こす病気の総称です。主な原因は溶連菌《ようれんきん》（溶血性連鎖球菌《ようけつせいれんさきゅうきん》）による感染症です。溶連菌に感染すると発熱やのどのはれなどの症状が現れ、7～10日後に急性腎炎（急性腎炎症候群）を起こすと、血尿やたんぱく尿、むくみ、高血圧などの腎臓病の症状が急激に現れます。

慢性腎臓病（CKD）は、慢性的に腎機能が低下したり、腎臓に障害が起こったりして、血尿やたんぱく尿などの尿の異常が3ヵ月以上続く病気の総称です。なんらかの病気が原因で糸球体に炎症が起こり（慢性腎炎症候群）、糸球体のろ過機能が損なわれてしまいます。

急性腎炎症候群は早い段階で抗生物質や利尿薬などの治療をすれば完治し、後遺症もないことが多いですが、放置すれば慢性化する場合もあります。これに対し、慢性腎臓病の治療では、それ以上腎機能が低下しないよう、進行を遅らせることが主な目的となります。

（川村哲也）

Q14 慢性腎臓病（CKD）が増えているそうですが、どんな病気ですか？

日本腎臓《じんぞう》学会によれば、わが国の慢性腎臓病の患者数は、成人のおよそ8人に1人に当たる1330万人で、その数は増える傾向にあります。これは、加齢によって腎機能が低下する高齢者が増えたこと、食生活や生活習慣の変化により高血圧や糖尿病といった慢性腎臓病を招きやすい病気を抱える人が増えたことなどによるものと考えられます。

慢性腎臓病は1つの病気を表すものではなく、一定の基準を満たす病気の総称です。具体的には、さまざまな病気が原因で、腎不全（腎臓の機能が低下したり、失われたりした状態）に陥ることをいいます。原因となる病気（原疾患《げんしっかん》）にはネフローゼ症候群、糖尿病性腎症、肥満関連腎症、腎硬化症、IgA《アイジーエー》腎症、嚢胞腎《のうほうじん》、ループス腎炎（39～45ページ参照）などがあります。

慢性腎臓病になると、腎臓の糸球体が傷ついてろ過機能が低下し、血液中の老廃物を除去したり、体内の水分や電解質の量や、酸・アルカリのバランスを調節したりすることが十分にできなくなります。また、体に必要な造血ホルモンなどをつくったり、ビタミンDを体内で利用できる形にうまく変えたりすることができなくなります。

腎臓が全く機能しない状態になれば、重いむくみや尿毒症（54ページ参照）の症状が現れ、人工透析や腎移植をしなければ、生命を維持することができなくなってしまいます。

慢性腎臓病の進行はその名のとおり慢性的で、数ヵ月から数十年かけてゆっくりと進行します。かつては不治の病といわれていましたが、軽いうちに生活習慣を改善すれば、回復が望めるばかりでなく、進行しても、食事療法などを取り入れて適切な治療を行えば、それ以上の進行を防ぐことができるようになっています。

（川村哲也）

日本における慢性腎臓病患者数

GFR ステージ	GFR (mL/分/1.73㎡)	尿たんぱく −〜±	尿たんぱく 1＋以上
G1	≧90	2,803万人	61万人
G2	60〜89	6,187万人	171万人
G3a	45〜59	886万人	58万人
G3b	30〜44	106万人	24万人
G4	15〜29	10万人	9万人
G5	＜15	1万人	4万人

＊太線で囲まれたところが、慢性腎臓病に相当する。

（日本腎臓学会「CKD診療ガイド2012」）

＊ GFRステージ分類については81ページ参照。

Q15 慢性腎臓病に診断基準はありますか？

慢性腎臓《じんぞう》病（CKD）は、日本腎臓学会の診療ガイドラインで、次のうちどちらか、あるいは両方が3ヵ月以上続くことが診断基準とされています。

①尿や血液の検査、画像診断や症状から、腎臓に障害が起こっていることが明らかであること

特に尿たんぱくが0・15《グラム》／gCr以上（30《ミリグラム》／gCr以上の尿アルブミン）であること

②糸球体ろ過量（GFR）が60《ミリリットル》／分／1・73平方《メートル》未満であること

②のGFRは、慢性腎臓病の進行度を示す6つのステージ分類にも用いられています（81《ページ》参照）。GFRを調べる検査は、24時間蓄尿（尿をためる）をしなくてはならないなど手間がかかるため、実際には、血液検査で得た血清クレアチニン値（33《ページ》参照）と年齢や性別を計算式に当てはめて算出した、推算糸球体ろ過量（eGFR。80《ページ》参照）が用いられます。

（川村哲也）

Q16 慢性腎臓病が進むと、ほかの臓器にも異常が起こりますか？

慢性腎臓《じんぞう》病と特に深い関係があるのは、心血管病（脳卒中、心筋梗塞《こうそく》、心不全など）です。あるアメリカの調査では、GFRの値が低く、腎機能が低下している人ほど心血管病の発症リスクが高まり、最大で3・4倍も上昇することが報告されています。また、九州大学大学院の久山町研究（1961年から続く脳卒中、心血管病などの大規模調査）でも、慢性腎臓病の人は心血管病を発症しやすいという結果が出ています。

慢性腎臓病の重症度分類として、尿たんぱくの数値とGFRの数値を組み合わせ、末期腎不全への進行・心血管病合併のリスクを示す表が用いられます（57ページ参照）。

（川村哲也）

慢性腎臓病と心血管病の関係

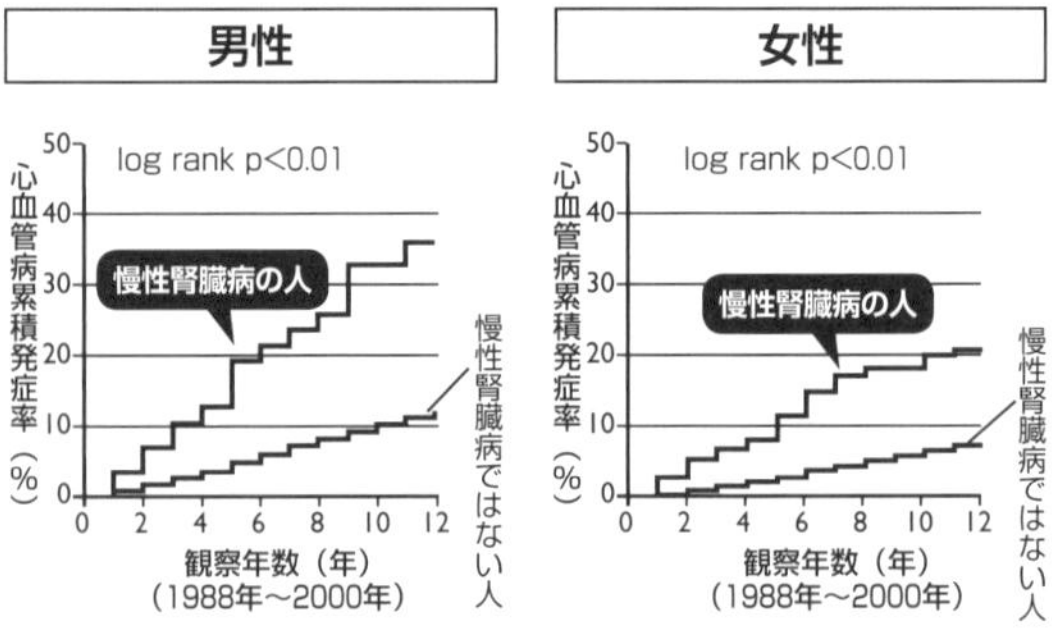

（二宮利治, 清原裕: 久山町研究からみた慢性腎臓病. 綜合臨床, 55: 1248-1254. 2006.04より作成）

Q17 慢性腎臓病の原因になるというネフローゼ症候群について教えてください。

ネフローゼ症候群は病名ではなく、①大量のたんぱく質が尿に流れ出る（高度たんぱく尿）、②血液中のアルブミンが低下する（低たんぱく血症）、③血液中の脂質の濃度が上昇する（脂質異常症）、④強いむくみ、という4つの症状が現れている状態のことです。これらの症状に対しては、入院による安静、食事療法（水分・塩分・たんぱく質の制限）、薬物療法（ステロイド薬、免疫抑制薬）といった治療が行われます。

一番の特徴は、体全体の強いむくみです。大量のたんぱく質が尿として排出されつづけると、血管内の水分量が保てなくなり、血管の外へ水分が移動して、むくみが出るのです。むくみが重症化すれば、呼吸困難や心不全に陥ることもあります。

ネフローゼ症候群は、微小変化型ネフローゼや巣状分節性糸球体硬化症《そうじょうぶんせつせい》（41ページ参照）などの、腎臓《じんぞう》そのものの病気が原因となって起こる一次性（原発性）ネフローゼ症候群が全体の70％を占めています。腎臓以外の病気が原因の二次性（続発性）ネフローゼ症候群の原因疾患《しっかん》には、糖尿病性腎症やループス腎炎などがあります。（川村哲也）

Q18 糖尿病性腎症といわれました。大丈夫でしょうか？

糖尿病性腎《じん》症は、糖尿病を原疾患《げんしっかん》とする腎臓病のことです。腎不全から人工透析の導入に至る最大の原因であり、ほかの原因で透析を始めた人と比べて、透析を始めてから5年後の生存率が低いこともわかっています。また、糖尿病患者の死因の約15％は、糖尿病性腎症の合併症が原因であるとされています。

糖尿病は、ブドウ糖をエネルギーとして使うために必要なインスリンというホルモンの分泌《ぶんぴつ》量が減ったり、働きが悪くなったりして、慢性的に血糖値（血液中のブドウ糖濃度）が高くなる病気です。血糖値が高くなると、糸球体の毛細血管が傷ついて腎機能が低下するのです。

血糖値や血圧をきちんとコントロールすれば腎不全をさけることができるので、食事療法や運動療法で、まずは糖尿病の治療を優先します。また、最近は、糖尿病性腎症で見られるアルブミン尿が陰性にもかかわらず腎不全に至る症例も増えているため、**糖尿病性腎臓病**（ＤＫＤ）という新しい概念も生まれてきています。

（川村哲也）

Q19 肥満関連腎症という言葉を聞きました。どんな病気ですか？

肥満のなかでも、内臓脂肪型肥満（内臓に脂肪がつく肥満症。メタボリックシンドローム）は、特に腎臓《じんぞう》病を招く危険が高いといわれています。

肥満による腎機能の低下は、①肥満に伴う高血糖や高血圧が原因になるものと、②肥満そのものが原因で起こるものに大別されます。このうち、②の肥満そのものから起こるものを、肥満関連腎症といいます。脂肪細胞で作られて分泌《ぶんぴつ》されるアンジオテンシノーゲンという物質が原因となって、糸球体の血圧が上がり、ろ過機能が過剰に働くようになってしまい、尿たんぱくを引き起こします。糸球体が肥大したり、巣状分節性《じょうぶんせつせい》糸球体硬化症（糸球体の一部が硬化してしまう症状）になることもあります。また、輸入細動脈の動脈硬化も肥満関連腎症の特徴の1つです。

腎機能を低下させないためにも、適切な体重を維持することが大切です。標準体重は肥満指数（BMI）を「22」として計算しますが、腎臓病の人の目標体重はBMI 25未満とされています（105ページ参照）。

（川村哲也）

＊腎臓病の人の目標体重（キロ）＝身長（メートル）×身長（メートル）× BMI（25）
【例】身長 170センチの人の場合　1.7 × 1.7 × 25 = 72.25キロ

Q20 腎硬化症は、どのような腎臓病ですか？

腎《じん》硬化症は、高血圧が原因の腎臓病です。長い間高血圧が続いて、毛細血管の塊である糸球体が傷ついたり、動脈硬化を起こしたりして、腎機能が低下する病気です。

腎硬化症には、軽症から中程度の高血圧で発症する良性腎硬化症と、最低血圧が130㍉以上の高血圧で起こる悪性腎硬化症があります。

良性腎硬化症は加齢によって起こることもあります。軽い尿たんぱくと、肉眼ではわからない程度（尿潜血性）の血尿以外は自覚症状がありませんが、早いうちに発見して治療すれば、腎不全を防ぐことも可能です。

これに対し悪性腎硬化症は、腎臓の細い動脈が壊死《えし》し、糸球体自体が線維化・硬化していき、尿たんぱくや血尿が出るほか、頭痛、全身のだるさ、嘔吐《おうと》、貧血、視力障害（悪性高血圧性網膜症など）といった症状が現れ、放置すれば短期間で腎不全に陥ることもあります。腎臓の細い血管に動脈硬化が現れるということは、腎臓以外の脳や心臓の血管にも及んでいることが考えられ、心血管病の危険も高まります。

腎硬化症の治療には、血圧のコントロールが重要です。

（川村哲也）

Q21 IgA腎症（慢性糸球体腎炎）について教えてください。

免疫グロブリンの一つIgA《アイジーエー》（免疫グロブリンA。粘膜にあり免疫機能の中心的役割を担うたんぱく質）が糸球体に沈着して腎《じん》機能が低下する腎臓病で、国の指定難病とされています。糸球体に起こる慢性腎炎のなかでは、日本人に最も多く、約40％を占めます。沈着の原因は未解明ですが、慢性扁桃《へんとう》炎などの上気道炎との関係が疑われているため、発症すると扁桃腺《せん》を摘出する手術を行うこともあります（212ジ参照）。

初期には無症状で、腎機能も正常なため、健康診断などで尿たんぱくや血尿が出るまで気づかないことが少なくありません。**尿たんぱく**が増えるにつれて、腎機能が低下し、**高血圧**や**むくみ**、**食欲不振**、**息苦しさ**などの症状が現れてきます。発症から20年の間に約30～40％の人に人工透析が導入されるといわれています。

1日に1ムグラ以上の尿たんぱくが出ていて、腎機能が低下し、血圧が高い人は、進行が早いと考えられており、早期治療が大切です。ステロイド薬、降圧薬、扁桃摘出術などによる治療が行われます。

（川村哲也）

Q22 多発性嚢胞腎と診断されました。どんな病気ですか？

左右両側の腎臓《じんぞう》に、嚢胞《のうほう》（液体のつまった袋状のもの）が多数できる病気で、国の指定難病とされています。たくさんできた嚢胞がネフロン（18ジペー参照）を圧迫し、腎《じん》機能が低下します。両親のどちらかがこの病気の遺伝子を持っていると、約50％の確率で、男女差なく子供に遺伝します。多くは30～40代になって発症します。

症状は、**血尿**や**腹痛**、**背中や腰の痛み**、**高血圧**、**腹部膨満感**《ぼうまん》（おなかの張り）、**食欲不振**などで、進行すれば**尿毒症**に至る可能性もあります。腎機能が低下しはじめると比較的進行が早く、70歳までには約50％が人工透析を導入するといわれています。

脱水状態になると分泌《ぶんぴつ》されるホルモン（バソプレシン）によって嚢胞が大きくなることが報告されており、**十分な水分摂取**が重要です。遺伝性の病気なので根本的な治療法はなく、食事療法や生活習慣の改善で腎機能の低下を抑えることが中心ですが、近年、バソプレシンの働きを抑えるトルバプタンという薬が開発され、多発性嚢胞腎の治療薬として承認されています。

（川村哲也）

Q23 聞き慣れないループス腎炎といわれました。原因はなんですか?

膠原病《こうげんびょう》の一つである全身性エリテマトーデス（ＳＬＥ）という病気によって引き起こされる腎臓病《じんぞうびょう》です。膠原病とは、体の組織をつなぐコラーゲンというたんぱく質成分に異常が起こり、関節、皮膚、筋肉、内臓に障害が出る病気の総称です。ＳＬＥは1対9の割合で女性に多く、また、**30歳までの若い人**に多いといわれています。ＳＬＥを引き起こす原因は不明ですが、ウイルス感染や外科的な手術、妊娠・出産、服薬などが誘因となり免疫異常が起こることがあります。目立つ症状には**蝶形紅斑**《ちょうけいこうはん》（ほおを中心に出る赤い発疹《ほっしん》）ですが、ほかに、**発熱、関節痛、心臓弁膜症、貧血**など全身の症状が出ます。腎臓の症状としては、免疫複合体（自分自身の組織である自己抗原とそれに対する抗体が結合したもの）が糸球体に付着して炎症を起こすことで、**尿たんぱくや血尿、尿円柱**（変性した細胞などからなる円柱状の物質が尿にまじる）が出ます。

ＳＬＥの治療とともに腎《じん》機能の低下を防ぐ治療を行い、比較的すぐに腎機能が回復することもありますが、腎不全に陥り人工透析となる場合もあります。（川村哲也）

Q24 腎盂腎炎とは、どんな病気ですか？

細菌による感染で腎臓《じんぞう》が炎症を起こす病気です。感染部位が腎盂《じんう》の場合は腎盂炎、腎実質（腎皮質と髄質《ずいしつ》）にまで及ぶ場合は腎盂腎《じん》炎と呼ばれます（19ページの図参照）。1対30の割合で女性に多い病気で、多くは尿道から感染して膀胱炎《ぼうこうえん》になり、腎臓に感染が及ぶものです。ほかに、尿路結石や男性の前立腺《せん》肥大症が原因で尿道が傷ついて発症したりするものもあります。

急性腎盂腎炎では排尿時の痛み、頻尿、膿《のう》尿、尿の濁りなどのほか、発熱、だるさ、吐き気、嘔吐《おうと》、腰や背中、わき腹の痛みが現れます。細菌が腎臓から全身に運ばれて敗血症《はいけつしょう》（全身症状を伴う感染症）となり、ショック症状を起こし、急性腎不全や多臓器不全から死に至ることもあります。慢性腎盂腎炎は自覚症状のない場合も多いですが、急に症状が悪化すると急性と同様の症状が現れます。腎盂腎炎をくり返すうちに腎機能が低下したり、腎性高血圧症（48ページ参照）になったりすることもあります。

急性・慢性ともに原因の細菌を突き止め、抗生物質による薬物療法が中心です。薬では改善しないほど重症の場合は、入院が必要です。

（川村哲也）

Q25 痛風腎と診断されました。どんな病気ですか？

痛風は、プリン体というたんぱく質を分解するときにできる尿酸のうち、血液に溶けきれない分が結晶になって、関節や腎臓《じんぞう》などにたまる病気です。

痛風腎《じん》は、尿酸の結晶が腎臓にたまって炎症を起こしている状態です。痛風でできた結石により尿管が傷つくと、**おなかや背中に強い痛み**を感じたり、**血尿**が出たりしますが、腎障害そのものによる症状はあまりありません。腎機能の低下が進めば、**むくみや吐きけ、食欲不振**などの尿毒症症状が現れます。

痛風の人は高血圧や動脈硬化症であることも多く、それらと相まって腎機能の低下が徐々に進み、末期の腎不全に陥る人も少なくありません。透析を導入している人の1％弱は、痛風が原疾患《げんしっかん》であるといわれています。

治療は食事療法（塩分制限、たんぱく質制限、アルコール制限、プリン体制限）や適度な運動、薬物療法が中心となります。尿を酸性にしないために、水分を十分にとって尿量を増やし、尿酸の結晶化を防ぐことも必要です。

（川村哲也）

Q 26 腎臓病の合併症で腎性高血圧とはどんな病気ですか？

高血圧症の多くは原因がはっきりしませんが（本態性高血圧）、原因がはっきりしている高血圧（2次性高血圧）のなかで最も多いのが、腎《じん》性高血圧です。

腎機能の低下により水分や塩分の排出が不十分なこと、また、血圧を下げるホルモン（キニン、カリクレイン、プロスタグランジン）が不足したり、血圧を上げるホルモン（レニン）が過剰に分泌《ぶんぴつ》されたりすることで血圧の調整がうまくいかず、高血圧になるのです。高血圧はさらに腎機能の低下を招き、また高血圧になるという悪循環に陥ります。

初期にはほとんど無症状ですが、腎臓《じんぞう》の細い血管がダメージを受け腎硬化症（42ページ参照）を起こすと、尿たんぱく、血尿、頭痛、だるさ、嘔吐《おうと》、貧血、視力障害（悪性高血圧性網膜症など）といった症状が現れます。

治療は、血圧を下げる降圧薬による薬物療法を行います。

（川村哲也）

Q27 腎性貧血といわれました。大丈夫でしょうか？

腎《じん》機能が低下して造血ホルモン（エリスロポエチン）の分泌《ぶんぴつ》が十分でなくなり、赤血球をつくる能力が低下して起こる貧血を、腎性貧血といいます。慢性腎臓病のステージG4〜G5（62〜64ページ参照）で起こりやすい合併症です。

進行がゆっくりとしているため、体が慣れてしまい、自分では気づきにくいといわれています。

赤血球に含まれるヘモグロビンは、全身に酸素を届ける役割を担っていますが、これが貧血により不足すると、全身が酸素不足の状態になります。したがって、症状は一般の貧血と同様、**倦怠感**《けんたいかん》、**動悸**《どうき》、**息切れ、疲れやすさ**などです。また、全身の酸素不足を補うために心臓に負担がかかり、心血管障害を起こす危険性も高まります。

原因は腎臓にあるため、一般の鉄欠乏性貧血とは異なり、治療として鉄剤（鉄分を補う薬）だけを補給しても、貧血の症状は改善しません。造血ホルモンを補充する注射薬とともに鉄剤を使用します。

（川村哲也）

Q28 高カリウム血症とは、どんな状態ですか？

腎《じん》機能の低下によって、電解質（水に溶けると陽イオン、陰イオンに分かれ、電気を帯びる物質）のバランスがくずれ、それらの働きが悪化しますが、カリウムも電解質の一種です。食べ物とともに体内に取り込まれたカリウムが十分に排泄《はいせつ》されずに、血液中のカリウム濃度（血清カリウム値）が上昇した状態を高カリウム血症といいます。

カリウムは、全身の筋肉（骨格筋、内臓筋を含む）の収縮や、神経伝達にかかわります。血液中のカリウム濃度が高くなると、筋肉が収縮しにくくなることから**筋力の低下や不整脈**が起こります。神経症状としては、**吐きけ、嘔吐《おうと》、しびれ、感覚障害**といった症状が現れます。

なかでも注意すべきは不整脈で、重度の高カリウム血症では不整脈から心停止を起こして死に至ることもあります。したがって、高カリウム血症と診断されたら、自覚症状がなくても、早いうちに治療することが大切です。

軽度なら、カリウムの多い食品（野菜や果物など）を制限する食事療法や、食物中のカリウムを腸管内で吸着して便中に排泄する薬で治療を行います。

（川村哲也）

Q29 高リン血症になると、どうなりますか？

腎《じん》機能の低下によって、食べ物とともに体内に取り込まれたリンが十分に排泄《はいせつ》されず、血液中のリンの濃度が上昇した状態を、高リン血症といいます。リンはカルシウムとともに骨の主要な成分となる物質ですが、血液中のリン濃度が高い一方で、腎機能の低下から、カルシウムの吸収を促進するビタミンDを十分に活性化（体内で利用できる形にすること）できずに血液中のカルシウム濃度が低くなると、副甲状腺《せん》ホルモンが過剰に分泌《ぶんぴつ》されるようになります。このホルモンは骨からカルシウムとリンを流出させるため、骨がもろくなってしまいます。また、血液中のリンがカルシウムと結びつき、骨ではないところにたまることがあります（異所性《いしょせい》石灰化）。関節にたまれば関節が動かしにくくなり、血管壁にたまれば動脈硬化となり、脳卒中や心筋梗塞《こうそく》といった心血管病の原因になります。さらに、高リン血症が続くことで、ますます腎機能の低下を招きます。高リン血症になってすぐに現れる自覚症状はありませんが、検査で異常値が出たら、リンを多く含む食品（たんぱく質の多い肉、魚、乳製品など）を制限する食事療法や、リンの吸収を抑える薬による治療が必要です。（川村哲也）

Q30 低カルシウム血症に注意といわれました。なぜですか？

血液中のカルシウム濃度が低下した状態を低カルシウム血症といいます。腎《じん》機能が低下すると、カルシウムの吸収を促進するビタミンDを十分に活性化（体内で利用できる形にすること）することができなくなるため、働きが悪くなって、血液中のカルシウム濃度が低下します。あるいは尿細管に障害が生じ、カルシウムが過剰に尿に排出されてしまうこともあります。腎臓病の人は低カルシウム血症になりやすいため、注意が必要なのです。

症状はあまり出ないこともありますが、軽い場合では、**神経症状**（手指や唇がしびれる、筋肉がつったりふるえたりする）のほか、**皮膚の乾燥**などが起こります。重症になると、全身が**けいれん**を起こしたり、興奮状態になったりすることもあります。

治療は、カルシウムやビタミンDを補う薬物療法が中心です。

（川村哲也）

Q31 代謝性アシドーシスとはなんですか？

私たちが食べ物から取り入れた糖質や脂質、たんぱく質などの栄養素を代謝すると、酸ができます。通常、人体は尿とともに水素イオンを排泄《はいせつ》し、また、呼吸で二酸化炭素を排出することで余分な酸を体外へ出し、血液を弱アルカリ性（pH7・4程度）に保っています。ところが、腎《じん》機能が低下すると、水素イオンの排泄が十分にできなくなり、血液中に水素イオンがたまって、血液が酸性に傾いてしまいます。この状態を代謝性アシドーシスといいます。

血液が酸性になると、細胞は酸とアルカリのバランスを取ろうとして、水素イオンを細胞内に取り込みますが、代わりにカリウムを細胞の外へ放出します。その結果、**高カリウム血症**（50ジペー参照）になることがあります。

代謝性アシドーシスになっていても自覚症状はほとんどありませんが、高カリウム血症になると、不整脈から心停止に至ることもあります。血清カリウム値が高い場合は注意が必要です。

（川村哲也）

Q32 尿毒症では、どんな症状が現れますか？

腎《じん》機能が著しく低下し、老廃物が尿として排泄《はいせつ》されずに体内にたまることで起こるさまざまな症状を総称して、尿毒症といいます。症状は全身におよび、重篤な場合、放置すれば数日から数週間で死に至ります。症状には次のようなものがあります。

①**脳・神経**……頭痛、けいれん、しびれ、マヒ、筋力低下、知覚異常、意識障害、睡眠障害、錯乱《さくらん》、昏睡《こんすい》

②**循環器**……高血圧、動悸《どうき》、心肥大、心不全、心膜炎

③**肺**……セキ、息切れ、呼吸困難、胸水、肺水腫《しゅ》

④**消化器**……食欲不振、吐きけ、嘔吐《おうと》、下痢《げり》、消化管出血

⑤**内分泌《ぶんぴつ》系**……生殖能力低下、無月経

⑥**目**……視力障害、眼底出血、網膜症

⑦**血液**……高脂血症、腎性貧血、代謝性アシドーシス、出血しやすくなる

⑧**皮膚**……かゆみ、皮下出血、色素沈着

⑨**全身・その他**……倦怠《けんたい》感（だるさ）、疲れやすさ、むくみ、口臭

（川村哲也）

第3章

慢性腎臓病の病期についての疑問 7

Q33 慢性腎臓病には重症度のステージがあるそうですね？

慢性腎臓《じんぞう》病（CKD）の進行度は、GFRの数値によって6段階に分かれます。GFRとは、腎臓のろ過機能を担う糸球体が1分間にどれくらいの血液をろ過し、尿をつくれるかを示す数値のことで、単位は、「ミリリットル／分／1・73平方メートル」で表します。

慢性腎臓病の重症度は、この6段階の「GFR区分」に、尿たんぱくの数値（原疾《げんしつ》患《かん》が糖尿病の場合は尿アルブミン値）をA1～A3までの3段階に分けた「尿たんぱく区分」と組み合わせて、心臓病や脳卒中などの心血管病による死亡や末期腎不全のリスクを表す「重症度分類」で示されています（左ページの表参照）。

慢性腎臓病では、たんぱく尿区分とGFR区分による重症度の判定と、腎機能が低下するきっかけとなった病気（原疾患）の種類によって、治療計画を立てていきます。自分自身がこの重症度分類のどこにいるのか、毎年の健診の結果から当てはめてみてください。自分の慢性腎臓病の重症度を知ることで、将来の腎不全に至る危険性や心血管病の発症の危険性がわかります。

（山縣邦弘）

慢性腎臓病の重症度分類

指標とする尿検査値				たんぱく尿区分 A1	たんぱく尿区分 A2	たんぱく尿区分 A3
原疾患が糖尿病の場合、尿アルブミン(mg／日、あるいはmg／gCr)でたんぱく尿区分を判断する				正常	微量アルブミン尿	顕性アルブミン尿
				30未満	30～299	300以上
原疾患が糖尿病以外の場合、尿たんぱく(g/日、あるいはg/gCr)でたんぱく尿区分を判断する				正常	軽度たんぱく尿	高度たんぱく尿
				0.15未満	0.15～0.49	0.50以上
GFR区分	G1	正常または高値	≧90			
GFR区分	G2	正常または軽度低下	60～89			
GFR区分	G3a	軽度～中等度低下	45～59			
GFR区分	G3b	中等度～高度低下	30～44			
GFR区分	G4	高度低下	15～29			
GFR区分	G5	末期腎不全	＜15			

・心血管病による死亡や末期腎不全のリスクは、尿たんぱく・尿アルブミンの程度（横軸）とＧＦＲの数値（縦軸）の組み合わせで示され、□⇒▒⇒▓⇒■の順でリスクが高くなる。

Q34 GFR区分のG1～G2はどんな状態ですか？

　健康な人のGFR（糸球体ろ過量）は100前後です。GFRが90以上は、GFR区分のG1レベルの腎《じん》機能に相当し、「腎臓の働きは正常」と判断されます。また、GFRが60～89はGFR区分G2レベルに相当し、「軽度の腎機能低下」が見られる状態です。この時期の慢性腎臓病の患者さんにはほとんど自覚症状が現れません。

　GFR区分でG1、G2のうち、尿たんぱく区分がA1だった人（ステージG1A1またはG2A1）は、慢性腎臓病には該当しません。ただし、高血圧、糖尿病、脂質異常症、肥満、喫煙習慣、加齢（40歳以上）、家族に慢性腎臓病の人がいるといった項目に一つでも当てはまる場合には、慢性腎臓病になりやすい「ハイリスク群」とされます。尿たんぱく区分がA2の人（ステージG1A2、G2A2）は、「慢性腎臓病」と診断されます。多くの場合、かかりつけ医での治療が基本ですが、A3（ステージG1A3、G2A3、糖尿病がある人は尿アルブミンが300ミリグラム以上、糖尿病がない人は尿たんぱくが0・50グラム以上）になると、腎機能が悪化する危険性が高く、その原因検索などのために、一度は腎臓専門医による診察を受ける必要があります。

ステージＧ１～Ｇ２の治療と生活改善

ハイリスク群	
治療方針	生活習慣の改善によるリスクの軽減
血圧管理	糖尿病がありたんぱく尿がある場合は最高血圧130ミリ、最低血圧80ミリ未満、糖尿病もたんぱく尿もない場合は最高血圧140ミリ、最低血圧90ミリ未満
血糖値管理	ヘモグロビンＡ１ｃ 7.0%未満
食生活	高血圧があれば減塩：１日当たり6グラム未満３グラム以上

ステージG1・G2（A2・A3）	
治療方針	専門医と協力して治療、腎障害の原因精査、腎障害を軽減させるための積極的治療
血圧管理	最高血圧130ミリ、最低血圧80ミリ未満 降圧薬を処方（ACE阻害薬、ARBなど）
血糖値管理	ヘモグロビンＡ１ｃ 7.0%未満
脂質管理	LDLコレステロール値120ミリグラム未満（可能であれば100ミリグラム未満）
食生活	高血圧があれば減塩：１日当たり6グラム未満３グラム以上 たんぱく質は過剰に摂取しない
その他	貧血管理：ヘモグロビン(Hb)11グラム以上13グラム未満を保つ 尿酸管理：尿酸値7.0ミリグラム以下を保つ

慢性腎臓病自体は、加齢による腎機能低下など非可逆的なところも多いのですが、たんぱく尿出現の原因によっては完治も可能です。そのため、たんぱく尿陽性者については、腎生検を含めた精密検査などを適切に実施し、早期に病型に合わせた原因疾《しっ》患《かん》の治療を行うことが有効であり、この時期に治療を始めることが非常に重要です。

一方、生活習慣病などによる慢性腎臓病（ハイリスク群含む）では生活習慣を改善し、塩分や脂質量などを制限する食事療法を行って、血圧や血糖値、コレステロール値をコントロールしていきます。同時に、患者さんの状態に応じて降圧薬や利尿薬、抗血小板薬などを用いた薬物療法が行われます。（山縣邦弘）

Q35

ＧＦＲ区分のＧ３はどんな段階ですか？なぜａとｂに分かれているのですか？

慢性腎臓《じんぞう》病のＧＦＲ区分のうち、患者さんの数が最も多いのがＧ３です。この段階でも自覚症状が現れることはほとんどありません。ＧＦＲ（糸球体ろ過量）が45～59になるとＧＦＲ区分ではＧ3aとなり、腎臓は「軽度から中等度低下」している状態で、腎臓は正常の半分程度しか機能していません。ＧＦＲ区分Ｇ3aには、加齢により腎機能が低下した人が多く含まれています。ＧＦＲが30～44になると、ＧＦＲ区分ではＧ3bと判定され、腎臓の状態は「中等度～高度低下」となります。

ＧＦＲ区分でＧ３のみ2段階あるのは、同じステージＧ３でも、ＧＦＲが45未満になると末期腎不全や心血管病といった合併症の発症死亡リスクが有意に高まることが明らかになったからです。そこで、Ｇ３を2段階に分けて、慢性腎臓病のＧＦＲ区分をさらに厳密に管理し、病気の進行を阻止するためのよりきめ細やかな治療が行われるようになりました。

食事療法では、より厳密な減塩食（1日6㌘未満3㌘以上）が指導されるほか、たんぱく質制限食が必要になる場合があります。高カリウム血症があれば、1日2000ミリグラム以下のカリウム制限を行います。ステージG3aA1、G3bA1では腎機能の低下はゆっくりのことが多いですが、ステージG3aA3、G3bA3では腎機能悪化の危険性も高く、血圧管理、脂質管理などをしっかり実施する必要があります。

ステージG3a～G3bの治療と生活改善

ステージG3a・G3b共通	
血圧管理	最高血圧130ミリ、最低血圧80ミリ未満 降圧薬を処方（ACE阻害薬、ARBなど）
血糖値管理	ヘモグロビンA1c 7.0%未満（インスリンおよび血糖降下薬による低血糖の危険に注意）
脂質管理	LDLコレステロール値120ミリグラム未満 薬物による「横紋筋融解症」に注意する
その他	貧血管理：ヘモグロビン(Hb)は11グラム以上13グラム未満を保つ 尿酸管理：尿酸値は7.0ミリグラム以下を保つ

ステージG3a	
治療方針	尿たんぱく区分がA1であればかかりつけ医、A2・A3では専門医と協力して治療。腎機能低下の原因精査、腎機能低下を抑制するためにさまざまな治療を受ける
食生活	減塩食：1日当たり6グラム未満3グラム以上 たんぱく質制限食：標準体重1キロ当たり0.8～1.0グラム/日

ステージG3b	
治療方針	専門医と協力して治療。腎機能低下の原因精査、腎機能低下を抑制するためにさまざまな治療を受ける
食生活	減塩食：1日当たり6グラム未満3グラム以上 たんぱく質制限食：標準体重1キロ当たり0.6～0.8グラム/日 高カリウム血症があれば、カリウム制限を行う（1日2,000ミリグラム以下）

薬物療法では、病状や原疾患《げんしっかん》に応じた薬が用いられます。医師は、インスリンや血糖降下薬を用いる場合には低血糖症に、脂質コントロールでは筋肉が血中に溶け出す「横紋筋融《おうもんきんゆう》解《かい》症」に注意しながら、薬を処方します。

（山縣邦弘）

Q36 G4になると、もう腎不全になってしまうのですか？

ＧＦＲ（糸球体ろ過量）が15～29になると、ＧＦＲ区分Ｇ４に分類され、腎臓《じんぞう》の状態は「高度低下」となり、「腎不全」と呼ばれるようになります。腎臓の障害がかなり進んでおり、腎臓が正常な人の３分の１程度しか働いていない状態で、さまざまな自覚症状が見られる患者さんが散見される時期です。むくみ、貧血、血圧上昇といった症状のほか、倦怠感《けんたい》や吐きけ、頭痛、食欲不振、息切れ、不眠などの症状が現れることがあります。また、高血圧や糖尿病などの合併症による動悸《どうき》やだるさも現れてくる一方で、なかには全く症状が現れない人もいます。

この時期になると人工透析や腎移植についても情報提供が必要になります。ただし、このような情報提供については、これまでの腎機能が悪化するスピードや個々の患者さんの社会環境なども考慮して適切な対応が必要です。

食事療法では、できれば24時間の蓄尿などにより実際の１日のたんぱく質摂取量を確認のうえ、たんぱく質制限をする必要があるかどうかを決めることになります。特に高齢者ではすでに、1日のたんぱく質摂取量が標準体重1キロ当たり0・6〜0・8グラム程度しか摂取していないことも多いので、一律に制限の指導をするのではなく、体重や筋肉量、日常生活など自身の生活状況に合わせて適切なたんぱく質摂取量とすることが重要です。同様に、高カリウム血症がある場合にかぎりカリウム制限をします。同時に必要量のカロリー摂取を行い、体力低下しないような配慮と、適切な塩分摂取で、浮腫《ふしゅ》、血圧のコントロールを図ることも重要です。

G4では、治療の達成目標が多くなり、判断が難しい事態も増えてくることから、腎臓専門医のもとで治療を行うことが推奨されています。用いる薬も増えてくるため、副作用などが現れたときには、すぐに専門医に相談してください。

（山縣邦弘）

ステージG４の治療と生活改善

ステージ G4	
治療方針	原則として専門医での治療、腎障害の原因精査、腎機能障害を軽減させるための積極的治療、透析などの腎代替療法の準備、腎不全合併症の検査と治療
血圧管理	最高血圧 130ミリ、最低血圧 80ミリ未満 降圧薬を処方（ACE 阻害薬、ARB など）
血糖値管理	ヘモグロビンＡ１ｃ 7.0%未満（インスリンおよび血糖降下薬による低血糖の危険に注意）
脂質管理	LDL コレステロール値 120 ミリグラム未満 薬物による「横紋筋融解症」に注意する
食生活	減塩食：１日当たり 6グラム未満 3グラム以上 たんぱく質制限食：標準体重 1キロ当たり 0.6 〜 0.8グラム / 日 高カリウム血症があれば、カリウム制限を行う（1日 1,500 ミリグラム以下）
その他	貧血管理：ヘモグロビン (Hb) は 11グラム以上 13 グラム未満を保つ 尿酸管理：尿酸値は 7.0 ミリグラム以下を保つ 活性型ビタミン D を投与することがある

Q37 G5になると、腎臓や体はどうなりますか？

慢性腎臓《じんぞう》病の重症度分類で、最も重いGFR区分がG5です。GFR（糸球体ろ過量）は15未満で、進行すると「尿毒症症状」といわれるだるさや吐きけ、食欲不振、頭痛などのほか、呼吸困難も現れることがあります。ステージG5でこうした症状が出現し、内服や食事などの治療管理では改善不可能となった場合には、腎代替療法が必要です。腎代替療法には、大きく分けて手術で腎臓を移植する「腎移植」と、人工的に腎臓のろ過機能を行う「透析療法」があります。透析療法には、人工腎臓を利用する「血液透析」と自分の腹膜を利用する「腹膜透析」があります。

透析を開始した当初には、透析直後に頭痛や吐きけなどの症状が現れることがありますが、この症状は多くの場合、しだいに消失します。血液透析は、週に3回の通院が必要で、1回4～5時間かかります。腹膜透析では、自宅で1日4回程度、透析液を交換する方法や、夜間就寝中に透析液の交換を機械で自動で行う方法などがあり、通院自体は月に1、2回ですみます。いずれにしろ医師の指示に従い、適切な体調管理を行い、尿毒症症状が出現しないように治療を受けることが重要です。（山縣邦弘）

Q 38 慢性腎臓病は早く対策すれば透析を回避できますか？

従来、「慢性腎疾患《じんしっかん》は一度かかると徐々に悪化し、完治することはない」とされていました。しかし、最近では、「早期に適切な治療を受ければ、進行を止めることが可能」という認識が広まりつつあります。腎機能によらず、たんぱく尿の多い場合には早期に発見し、その原因を探りきちんとした治療を受ければ、たんぱく尿を消失させ、腎機能（ＧＦＲ）の低下を抑制し、完治も望めることがわかってきたのです。

例えば、高齢者に多く見られ、数週間から数ヵ月で急激に腎機能が低下する「急速進行性糸球体腎炎」や、高度のたんぱく尿が認められ、若年層にも多い「ネフローゼ症候群」などは、早期の治療で腎臓の機能が改善する場合があるとされています。また、最終的には人工透析が必要となるとされてきた「ＩｇＡ《アイジーエー》腎症」でも、新たな治療法の開発も進み、たんぱく尿や血尿の軽減から寛解状態にまで回復する人も増えています。健康診断などでたんぱく尿や腎機能の数値の異常を指摘されたら、早めに医療機関を受診し、治療を開始することが肝心です。

（山縣邦弘）

Q39 慢性腎臓病は「不治の病」といわれました。本当ですか？

ひと昔前まで「腎臓《じんぞう》病」というと、腎機能がしだいに衰えていき、将来的には人工透析を受けなければならない、そして、人工透析を続けても病状は徐々に悪化しやがて命を落とすという、まさに「不治の病」のイメージでした。

ところが、今や慢性腎臓病の患者さんは全国に１３３０万人に達し、非常に身近な病気となっています。その患者さんの大半が助からないかというと、決してそんなことはありません。

この十数年の間に、腎臓病の研究や医療技術は著しく進歩し、新たに慢性腎臓病の概念が加わり、新しい診断基準が設けられ、治療自体も大きく様変わりしました。おかげで、今ではかつての不治の病というイメージから、早期に発見し適切な治療を受ければ、改善できる病気、進行を抑制できる病気、長生きできる病気へと変わりつつあります。特に注目を集めているのがかつて禁止されていた「運動療法」（７章参照）で、その実施により腎機能を良好な状態に保ちやすくなっています。

（上月正博）

第4章

診察・検査・診断についての疑問16

Q 40

慢性腎臓病を指摘されたら何科を受診すればいいですか？

健康診断の尿検査や血液検査の結果などから、慢性腎臓《じんぞう》病の疑いがあると指摘された場合、まずは腎臓内科を受診しましょう。

心臓などの循環器に病気のある人は、循環器内科を受診してもいいでしょう。心筋梗塞《こうそく》や脳卒中、大動脈瘤《りゅう》などの循環器疾患《しっかん》のある人は、腎動脈が狭くなって、腎臓にも動脈硬化や糸球体の硬化といった障害が起こることがあります。逆に、腎機能の低下に伴い、循環器疾患での入院や死亡が増えるという調査結果もあります。循環器疾患と慢性腎臓病は互いに危険因子になりうる関係なのです。

しかし、腎臓内科や循環器内科を設置している病院は多くありません。近くで見つからない場合は、まず、内科や泌尿器《ひにょうき》科（小児の場合は小児科）を受診しましょう。検査結果について相談したり、必要に応じて改めて尿検査や血液検査をしたりして、結果によっては紹介状を書いてもらい、大きな病院の腎臓内科や循環器内科を受診することになります。

（川村哲也）

Q41 良医の探し方はありますか？

腎臓《じんぞう》病の良医の条件は、第一に、腎臓専門医であることです。

日本腎臓学会では、腎臓専門医の認定を行っています。腎臓専門医は、腎臓学会に5年以上所属し、内科学会認定内科医、小児科学会専門医、外科学会専門医、泌尿器《ひにょうき》科学会専門医のうちいずれかの資格を取得したうえで、定められた研修プログラムに基づく研修を3年以上行い、さらに専門医試験に合格して初めて認定される、専門性の高い資格です。

ステージG1～G3aまでは、基本的にかかりつけ医での治療を受けますが、次のいずれかに当てはまる場合は、腎臓専門医に紹介されます。

①2＋以上の高度たんぱく尿がある
②尿たんぱくと血尿がともに陽性（＋）である
③GFRが50未満である（40歳未満の人は60未満、70歳以上の人は40未満）

また、腎機能が短期間で急激に低下したり（3ヵ月以内に30％以上）、血糖値や血圧がうまくコントロールできない場合も、腎臓専門医に紹介されます。

（川村哲也）

Q 42

慢性腎臓病で糖尿病もある場合、どの科で診てもらえばいいですか？

日本の糖尿病の患者数は1000万人以上といわれ、糖尿病の高血糖により腎《じん》機能が低下し、糖尿病性腎症になる人も相当数に上ります。糖尿病性腎症は日本の腎不全の原疾患《げんしっかん》（もともとの病気）として最も多く、人工透析導入となる最大の要因です。したがって、糖尿病と慢性腎臓病の両方を抱える人は少なくありません。

糖尿病性腎症が進行し、ステージG3になると、糖尿病の医師は、腎臓内科を紹介することが多くなります。大きな病院や専門クリニックでは、糖尿病と腎臓病の専門医がともに在籍しているところもありますが、別々の病院でも、診療データを共有できる場合もあるので、相談してみてください。また、糖尿病も腎臓病も食事療法が大切ですが、内容は相反する部分もあり、その意味でも両専門医の連携が大切です。

腎臓病が悪化するとインスリンが腎臓で分解されなくなって血糖値が下がり、結果的に糖尿病が改善されることもありますが、血糖管理が困難になる場合もあります。

（川村哲也）

Q43 慢性腎臓病で行われる尿検査について教えてください。

慢性腎臓《じんぞう》病の進行や合併症を抑える目的で定期的に行われる尿検査には、下の表のようなものがあります。

慢性腎臓病は自覚症状があまりないため、**定期的な検査で異常を早期に発見することが重要です。**

特に生活習慣病がない人でも、1年に1回は血液検査と併せて尿検査を受けましょう。高血圧や肥満、喫煙習慣のある人、糖尿病・脂質異常症など慢性腎臓病になるリスクが高い人は、3～4ヵ月に1回程度の検査が必要です。（川村哲也）

慢性腎臓病の主な尿検査

検査項目	基準値	内容
尿たんぱく	試験紙：－～± 定量検査： 150mg／日未満 150mg／gCr 未満	尿中のたんぱく質の多寡
微量アルブミン尿	30mg／日未満 30mg／gCr 未満	たんぱく質の一種アルブミンの量
尿潜血	－（陰性）	血尿の有無
尿糖	－（陰性）	ブドウ糖の有無
尿の pH	5.0～8.0	尿の酸性・アルカリ性を調べる
尿の比重・尿沈検査	1.007～1.025	尿に含まれる物質のおよその濃度

＊基準値は検査を行う医療機関などにより異なる場合があります

Q 44

尿たんぱく検査は何を見ますか？

主にアルブミンというたんぱく質が尿中に含まれていないかを、尿の定性検査（試験紙法。カップに採尿し試験紙を浸す方法）で調べます。アルブミンは、尿に排出されるたんぱく質の約40〜60％を占めています。健康な人でも尿にはたんぱく質が含まれていますが、試験紙では検出されないほどのわずかな量です。判定は、「＋（陽性）」「±（偽《ぎ》陽性）」「－（陰性）」の3つに分類されます。さらに、陽性には1＋〜4＋までの段階があります。数字が大きいほど腎《じん》機能障害が進んでいると考えられます。

陽性、偽陽性の結果が出た場合は、できれば腎臓専門医（69ページ参照）を受診しましょう。尿たんぱくについては、健康な人でもスポーツなどで汗をたくさんかくと尿が濃くなり、偽陽性や陽性の結果が出ることもありますが、陽性、偽陽性の場合は腎臓病の可能性があるので、できれば腎臓専門医を受診しましょう。陽性なら、尿の定量検査（一定時間ためた尿を検査する方法）でくわしく調べることもあります。陰性の場合は腎機能低下の可能性は低いですが、高血圧の人は、尿中の尿たんぱくとクレアチニン（33ページ参照）の量を、定量検査でくわしく調べる必要があります。

（川村哲也）

Q45 尿潜血検査は腎臓病とどう関係するのですか？

血液が尿中に含まれていないか、肉眼ではわからない血尿（顕微鏡的血尿）を調べる検査です。具体的には、採取した尿に試験紙を浸し、赤血球に含まれるヘモグロビンを調べますが、赤血球そのものがまじることもあります。

判定は、「＋（陽性）以上」「±（偽《ぎ》陽性）」「－（陰性）」に分類されます。**陽性の場合は、腎臓《じんぞう》病のほか、膀胱《ぼうこう》・尿道・前立腺《せん》などの病気による出血の可能性もあるので、かかりつけ医を受診しましょう。**

偽陽性の場合、女性は月経血がまじっている可能性もありますが、男性は腎臓病などの可能性が高くなります。激しい運動後は、筋肉中のミオグロビンというヘモグロビンに似た物質が、尿に出ている可能性もあります（27ページ参照）。どの場合も再検査をして、陽性かどうかを判定する必要があります。持続して陽性の場合は、尿沈渣《ちんさ》（尿の成分をくわしく顕微鏡で調べる検査）を行います。尿沈渣では赤血球の形も判断材料になり、変形した赤血球が多いと糸球体からの出血の可能性が高く、少なければ膀胱や尿道などからの可能性が高くなります。

（川村哲也）

Q46 微量アルブミン尿の検査についてくわしく教えてください。

試験紙では検出されないほどわずかな量のアルブミンが、尿に含まれていないかを調べる方法です。採取した尿を、化学反応を利用して測定します。

体内のたんぱく質のうちアルブミンは、比較的分子が小さいという特徴があり、糸球体のろ過機能が低下すると、ほかのたんぱく質より早く尿にもれ出てきます。アルブミンが出ていても自覚症状はあまりありませんが、これを調べることで、**腎《じん》機能の低下をより早く発見することができるのです。**

通常、腎機能の低下を見るには尿たんぱくの検査で十分なのですが、特に糖尿病性腎症（40ページ参照）の早期発見に大切な指標とされています。微量アルブミンが出た早期の段階で治療すれば、腎機能を改善させることができるとされているからです。

そのため、現在のところ、微量アルブミン尿の検査に健康保険が適用されるのは糖尿病の人にかぎられます。糖尿病の患者さんは、3ヵ月に1回の検査が認められています。

（川村哲也）

Q47 家庭で尿をチェックする方法があるそうですね？

自分で尿の状態（色、濁り、におい、回数、量など）を観察するのもチェック法の一つです。また、市販の尿検査キットを使って、家庭で尿たんぱくや尿潜血検査を簡易的に行うこともできます。

一般的な検査キットでは、コップに採取した尿に試験紙を1秒ほど浸し、色の変化を付属の色調表と比較して、たんぱくや潜血、糖の量を確認します。定期的な通院検査を補う形で利用するといいでしょう。

（川村哲也）

尿の状態を観察してチェック

色	赤、茶	血尿の可能性。腎炎、腎臓がん、結石の疑い
	黄色	肝臓、胆道の病気の疑い
	白濁	膀胱炎や腎盂腎炎など感染症の疑い
におい	ツンとした刺激臭	細菌が繁殖している可能性。膀胱炎、尿路感染症の疑い
	甘酸っぱい	糖尿病の可能性
その他	異常な泡立ちがあればたんぱく尿、沈殿物があれば結石、膀胱炎や腎盂腎炎など感染症の疑い	

市販の尿検査キットを使ってチェック

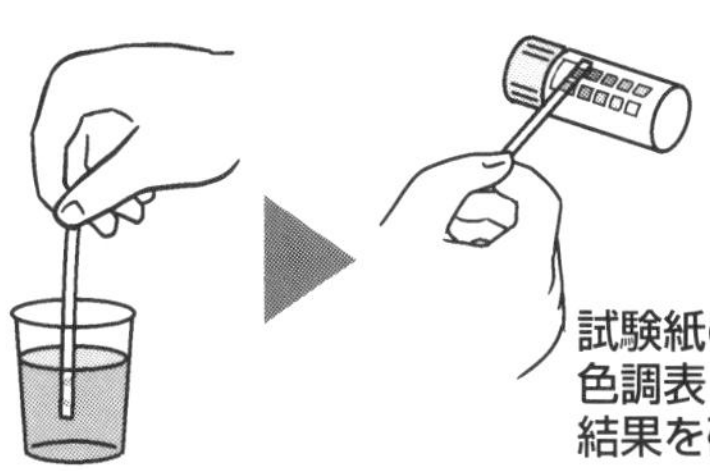
コップに尿を取り、試験紙を浸す（1秒程度）
試験紙の色と色調表を比べ、結果を確認する

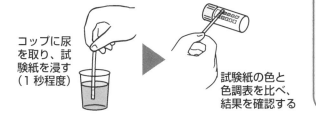

Q48 慢性腎臓病に関係する血液検査の項目はなんですか？

血液中に増えた老廃物などの不要な物質の量を調べることで、腎《じん》機能の状態がわかります。

血液検査には、下の表のようなものがあります。

尿検査同様、慢性腎臓病の人は定期検査が必要です。慢性腎臓病のリスクが高い人は、3～4ヵ月に1回程度検査をしましょう。

（川村哲也）

慢性腎臓病の主な血液検査

検査項目	基準値	内容
血清クレアチニン（mg /dL）	男性：0.5 ～ 1.1 女性：0.4 ～ 0.8	クレアチニンの量
血清シスタチン C（mg /dL）	男性：0.63 ～ 0.95 女性：0.56 ～ 0.87	シスタチン C の量
尿素窒素（BUN）（mg /dL）	8 ～ 20	尿素に含まれる窒素の量
血糖（mg /dL）	70 ～ 109	ブドウ糖の量
HbA1c（%）	4.6 ～ 6.0	ヘモグロビン A1c の量
尿酸（mg /dL）	男性：3.5 ～ 7.0 女性：2.5 ～ 5.5	尿酸の量
電解質（mEq/L）	カリウム：3.6 ～ 4.8 ナトリウム：137 ～ 146	電解質（カリウム、ナトリウムなど）の量

＊基準値は検査を行う医療機関などにより異なる場合があります

Q 49 血清クレアチニン値が高いといわれました。何が問題ですか？

クレアチニンは、筋肉を動かすためにクレアチンという物質をエネルギーとして使うとできる、老廃物の一種です。通常は尿にまじって排出されますが、腎《じん》機能が低下すると、尿への排出が十分行われず、血液中にたまってしまいます。その量を測定したものが、血清クレアチニン値です。

血清クレアチニン値は、腎機能の状態を最もよく反映する重要な検査値です。基準値より少し高いくらいでも、腎機能（糸球体のろ過量）がかなり低下していることが少なくないといわれています。基準値の上限に近い場合は、腎機能に黄信号がともっていると考えてください。

ただし、血清クレアチニン値は、筋肉量の多い人は高い値が出ます。そのため、一般に筋肉量の多い男性と、筋肉量の少ない女性とでは基準値が異なります（76ページ参照）。また、高齢者や子供は筋肉量が少ないので、低い値が出やすくなります。（川村哲也）

Q50 血清シスタチンCの検査を受けました。何がわかりますか？

シスタチンCは、体内でたんぱく質が分解されてできる物質です。腎《じん》機能が低下すると血液中に増えるという点ではクレアチニンと同じですが、クレアチニンと違い、筋肉量の影響を受けません。また、食事や運動量の影響も受けません。筋肉量が少ないために血清クレアチニン値が低く出てしまう高齢者などの腎機能も、より正確に把握できるとして、最近注目されている検査です。しかし、今のところ**健康保険で3ヵ月に1回の検査しか認められていないこともあり**、あまり広まっていません。

シスタチンCの血液中の濃度は、重度に腎機能が低下するとそれ以上には上がらないことがわかっています。そのため、末期腎不全では腎機能を正確に反映できない可能性もあります。しかし、そこまで腎機能が低下した場合は、血清クレアチニン値で腎機能を調べることができるので、将来的には、**軽度から中程度の腎機能低下はシスタチンC、重度では血清クレアチニン値を指標とする**など、使い分けをするのが妥当であると思われます。

（川村哲也）

Q51 血中尿素窒素（BUN）の検査では何を見ますか？

たんぱく質が分解してできたアンモニアに、二酸化炭素が結合すると、尿素という物質ができます。通常、尿素窒素《ちっそ》（血液中の尿素に含まれる窒素成分）は腎臓《じんぞう》でろ過されて尿と排泄《はいせつ》されますが、腎機能が低下すると、ろ過しきれない分が血液中にたまり、尿素窒素の値が高くなります。そのため腎機能を見る検査として行われています。

ところが、たんぱく質のとりすぎでも、尿素窒素の値は上昇します。糖質制限ダイエットでたんぱく質をとりすぎていると、値が上がる可能性があるのです。

また、脱水症状を起こしていたり、なんらかの理由で消化管から出血していたりすると、やはり尿素窒素の値が上昇することがあります。そのほか、悪性腫瘍《しゅよう》（がん）や甲状腺《せん》機能亢進《こうしん》症（甲状腺ホルモンの分泌《ぶんぴつ》量が過剰になる病気）などでも、尿素窒素が増えることがわかっています。

このように、尿素窒素は腎臓以外の影響を受けやすいので、最近は、腎機能を見る検査値としてはあまり重視されない傾向があります。

（川村哲也）

Q52 腎機能を示すGFRとeGFRは何がどう違うのですか？

GFR（糸球体ろ過量）は、糸球体が1分間にどれだけの量の血液をろ過して尿をつくれるかを表します。GFRを調べるには24時間蓄尿（尿をためる）が必要で、手間と時間がかかるため、現在は、血清クレアチニン値と年齢や性別を計算式に当てはめて算出した、eGFR（推算糸球体ろ過量）がよく用いられます。真のGFRと少し誤差があるものの、腎《じん》機能を見る指標としては十分とされています。

eGFRよりも正確な値が得られる方法に、イヌリンという物質を点滴で投与して、そのろ過の程度からGFRを調べるものがあります。ただ、手間と時間がかかるため、腎移植のさいなど、特殊な用途以外は使われません。また、尿と血液両方のクレアチニン値から糸球体のろ過量を調べる、クレアチニンクリアランスという検査法もあります。一定時間蓄尿して尿中のクレアチニン値を測り、その間の血液中のクレアチニン値も測定して、これらの値からGFRを算出するもので、eGFRよりも正確ですが、腎機能が悪いほどGFRとの誤差が大きくなる傾向があります。

（川村哲也）

Q53 腎機能がどのくらい残っているか、どう調べるのですか？

通常、血清クレアチニン値と年齢を、男女別の計算式に当てはめて計算したeGFRに基づき判断します。eGFRが50なら、腎《じん》機能が健康時の50%になったということです。

計算式は下の図のとおりですが、複雑なので、男女別に早見表を用意しています（82～85ページ）。

横軸の血清クレアチニン値と縦軸の年齢が交わったところの数字がeGFRで、これをGFRと見なして、腎機能の状態を見ます。

慢性腎臓病の進行度は、GFRの数値によって6つのステージ（GFR区分）に分類されています。GFRの頭文字Gと数字で、軽度なほうからG1、G2、G3a、G3b、G4、G5と表されます。

（川村哲也）

eGFRの計算式

●男性

$$194 \times Cr^{-1.094} \times 年齢^{-0.287}$$

●女性

$$194 \times Cr^{-1.094} \times 年齢^{-0.287} \times 0.739$$

＊ Cr＝血清クレアチニン値

腎機能の進行度早見表 男性 ❶

年齢＼Cr.	0.6	0.7	0.8	0.9	1.0	1.1	1.2	1.3	1.4	1.5	1.6	1.7	1.8	1.9	2.0	2.1	2.2	2.3	2.4
20	≧90	≧90	≧90	≧90	82	74	67	62	57	53	49	46	43	41	38	36	35	33	32
25	≧90	≧90	≧90	86	77	69	63	58	53	49	46	43	40	38	36	34	33	31	30
30	≧90	≧90	≧90	82	73	66	60	55	51	47	44	41	38	36	34	32	31	29	28
35	≧90	≧90	89	78	70	63	57	52	48	45	42	39	37	35	33	31	30	28	27
40	≧90	≧90	86	76	67	61	55	51	47	43	40	38	35	33	32	30	28	27	26
45	≧90	≧90	83	73	65	59	53	49	45	42	39	36	34	32	30	29	27	26	25
50	≧90	≧90	81	71	63	57	52	47	44	41	38	35	33	31	30	28	27	25	24
55	≧90	≧90	78	69	61	55	50	46	43	39	37	34	32	30	29	27	26	25	24
60	≧90	88	76	67	60	54	49	45	41	38	36	34	31	30	28	27	25	24	23
65	≧90	86	75	66	59	53	48	44	41	38	35	33	31	29	27	26	25	24	22
70	≧90	85	73	64	57	52	47	43	40	37	34	32	30	28	27	25	24	23	22
75	≧90	83	72	63	56	51	46	42	39	36	34	31	30	28	26	25	24	23	22
80	≧90	81	70	62	55	50	45	41	38	35	33	31	29	27	26	24	23	22	21
85	≧90	80	69	61	54	49	44	41	38	35	32	30	28	27	25	24	23	22	21

ハイリスク群・G1、G2、G3a・G3b、G4、G5　＊Cr.＝血清クレアチニン値

eGFRは糸球体ろ過量を簡易に求めるための推算値です。早見表の数値はあくまで推算値であり、確定診断は必ず専門医を受診してください。

腎機能の進行度早見表 男性 ❷

年齢＼Cr.	2.5	2.6	2.7	2.8	2.9	3.0	3.1	3.2	3.3	3.4	3.5	3.6	3.7	3.8	3.9	4.0	4.1	4.2	4.3
20	30	29	28	27	26	25	24	23	22	22	21	20	20	19	19	18	18	17	17
25	28	27	26	25	24	23	22	22	21	20	20	19	18	18	17	17	16	16	16
30	27	26	25	24	23	22	21	20	20	19	19	18	17	17	16	16	16	15	15
35	26	25	24	23	22	21	20	20	19	18	18	17	17	16	16	15	15	15	14
40	25	24	23	22	21	20	20	19	18	18	17	17	16	16	15	15	14	14	14
45	24	23	22	21	20	20	19	18	18	17	17	16	16	15	15	14	14	14	13
50	23	22	21	20	20	19	18	18	17	17	16	16	15	15	14	14	13	13	13
55	23	22	21	20	19	18	18	17	17	16	16	15	15	14	14	13	13	13	12
60	22	21	20	19	19	18	17	17	16	16	15	15	14	14	14	13	13	12	12
65	21	21	20	19	18	18	17	16	16	15	15	14	14	14	13	13	13	12	12
70	21	20	19	19	18	17	17	16	16	15	15	14	14	13	13	13	12	12	12
75	21	20	19	18	18	17	16	16	15	15	14	14	13	13	13	12	12	12	11
80	20	19	19	18	17	17	16	15	15	14	14	14	13	13	12	12	12	11	11
85	20	19	18	18	17	16	16	15	15	14	14	13	13	13	12	12	12	11	11

ハイリスク群・G1、G2、G3a・G3b、G4、G5　＊Cr.＝血清クレアチニン値

腎機能の進行度早見表 女性 ❶

年齢＼Cr.	0.5	0.6	0.7	0.8	0.9	1.0	1.1	1.2	1.3	1.4	1.5	1.6	1.7	1.8	1.9	2.0	2.1	2.2	2.3
20	≧90	≧90	90	77	68	61	55	50	46	42	39	36	34	32	30	28	27	26	24
25	≧90	≧90	84	73	64	57	51	47	43	39	37	34	32	30	28	27	25	24	23
30	≧90	≧90	80	69	61	54	49	44	41	37	35	32	30	28	27	25	24	23	22
35	≧90	≧90	76	66	58	52	47	42	39	36	33	31	29	27	26	24	23	22	21
40	≧90	87	73	63	56	50	45	41	37	34	32	30	28	26	25	23	22	21	20
45	≧90	84	71	61	54	48	43	39	36	33	31	29	27	25	24	23	21	20	19
50	≧90	82	69	60	52	47	42	38	35	32	30	28	26	25	23	22	21	20	19
55	≧90	79	67	58	51	45	41	37	34	31	29	27	25	24	22	21	20	19	18
60	≧90	77	65	57	50	44	40	36	33	31	28	26	25	23	22	21	20	19	18
65	≧90	76	64	55	49	43	39	35	32	30	28	26	24	23	21	20	19	18	17
70	≧90	74	63	54	48	42	38	35	32	29	27	25	24	22	21	20	19	18	17
75	89	73	61	53	47	42	37	34	31	29	27	25	23	22	21	19	18	18	17
80	87	71	60	52	46	41	37	33	31	28	26	24	23	21	20	19	18	17	16
85	86	70	59	51	45	40	36	33	30	28	26	24	22	21	20	19	18	17	16

ハイリスク群・G1、G2、G3a・G3b、G4、G5　＊Cr.＝血清クレアチニン値

eGFRは糸球体ろ過量を簡易に求めるための推算値です。早見表の数値はあくまで推算値であり、確定診断は必ず専門医を受診してください。

腎機能の進行度早見表 女性 ❷

年齢＼Cr.	2.4	2.5	2.6	2.7	2.8	2.9	3.0	3.1	3.2	3.3	3.4
20	23	22	21	20	20	19	18	18	17	16	16
25	22	21	20	19	18	18	17	17	16	15	15
30	21	20	19	18	18	17	16	16	15	15	14
35	20	19	18	17	17	16	16	15	14	14	14
40	19	18	17	17	16	16	15	14	14	13	13
45	18	18	17	16	16	15	14	14	13	13	13
50	18	17	16	16	15	15	14	14	13	13	12
55	17	17	16	15	15	14	14	13	13	12	12
60	17	16	16	15	14	14	13	13	12	12	12
65	17	16	15	15	14	13	13	13	12	12	11
70	16	16	15	14	14	13	13	12	12	11	11
75	16	15	15	14	13	13	12	12	12	11	11
80	16	15	14	14	13	13	12	12	11	11	11
85	15	15	14	14	13	12	12	12	11	11	11

ハイリスク群・G1、G2、G3a・G3b、G4、G5　＊Cr.＝血清クレアチニン値

慢性腎臓病のステージ分類

病期（ステージ）	GFR	重症度
	90 以上	ハイリスク群
G1	90 以上	腎障害はあるがGFR は正常または高値
G2	60 ～ 89	腎障害がありGFR 軽度低下
G3a	45 ～ 59	GFR 中度低下
G3b	30 ～ 44	
G4	15 ～ 29	GFR 高度低下
G5	15 未満	腎不全

Q 54 慢性腎臓病では画像検査は行わないのですか？

慢性腎臓《じんぞう》病でも次のような画像検査を行います。

①**超音波（エコー）**……体の表面から超音波を当てて、腎臓を観察します。多発性嚢《のう》胞腎《ほうじん》（44ページ参照）の嚢胞や結石などを、痛みなく調べることができます。

②**単純レントゲン撮影**……通常のレントゲン撮影です。腎臓の大まかな位置や大きさがわかり、遊走腎《ゆうそうじん》（立つと腎臓が本来の位置から下がる症状）なども診断できます。

③**コンピュータ断層撮影（CT）**……X線で体の断面を撮影し、血管や腎臓内部のようすを見る検査です。

④**磁気共鳴断層撮影（MRI）**……高周波の磁場を発生する装置で、体の断面を撮影する検査です。

⑤**経静脈性腎盂《じんう》造影（IVP）**……静脈に注射した造影剤が腎臓・尿管・膀胱《ぼうこう》に流れていくようすをX線撮影する検査です。

⑥**腎血管造影法**……腎動脈に造影剤を注入して血管をX線撮影する検査です。

⑦**アイソトープ検査**……放射線を放出する放射性同位元素を含む薬を注射などで体内

に注入し、病変部などに取り込まれた薬から放出される、微量のガンマ線を撮影する検査です。腫瘍《しゅよう》などの検査で行われます。

（川村哲也）

画像検査の画像例

■超音波（エコー）

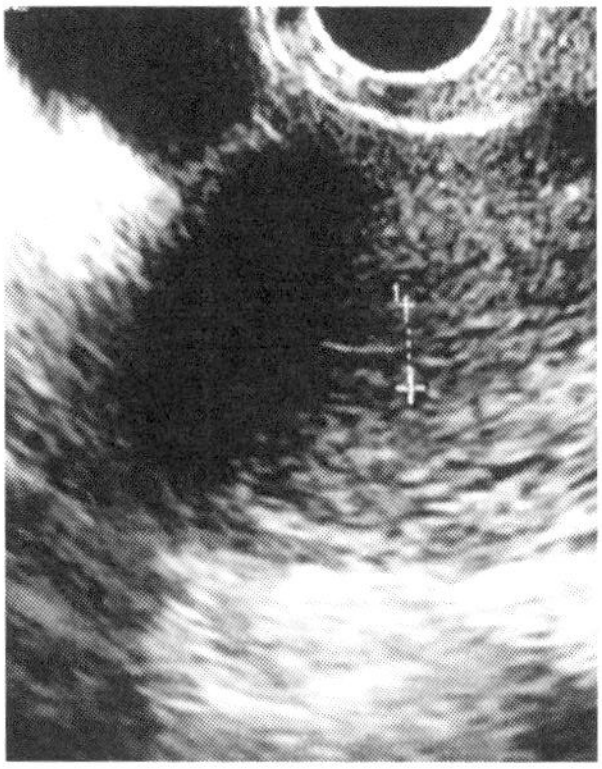

■単純レントゲン撮影

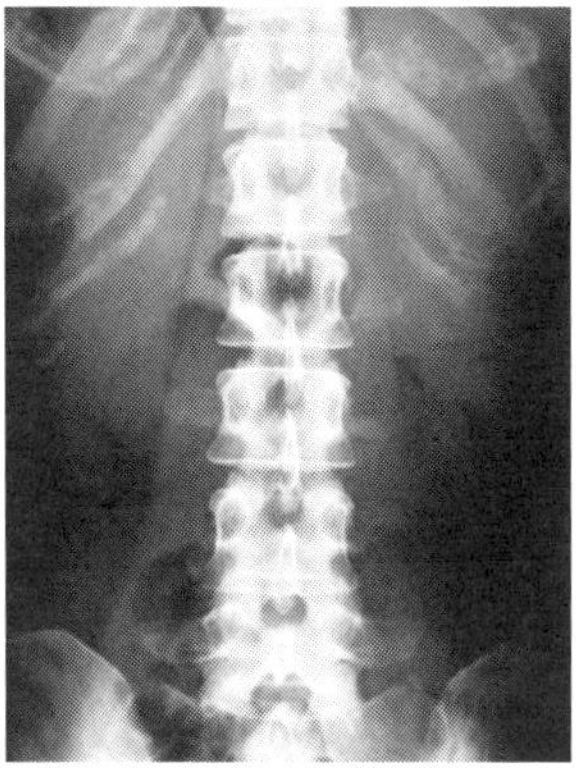

■コンピュータ断層撮影（CT）

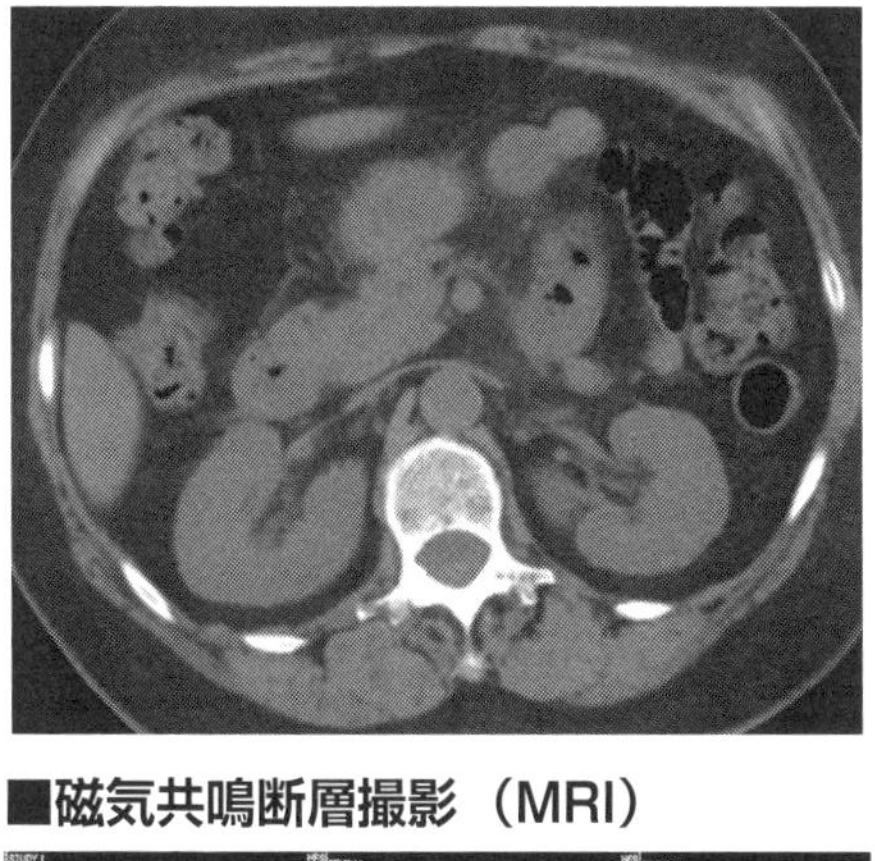

■磁気共鳴断層撮影（MRI）

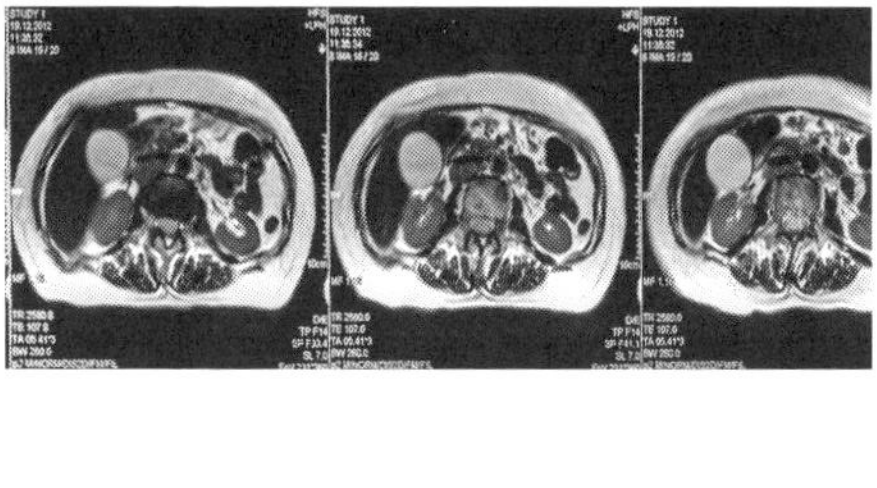

Q55 腎生検が必要といわれました。どんな検査ですか？

腎臓《じんぞう》の細胞組織を直接採取し、顕微鏡でくわしく調べる検査で、腎臓専門医が行います。腎生検の目的は、ほかの検査結果による診断を確定して、その後の診療方針を決定することです。

①血尿が続き、尿たんぱくも出て、腎炎が進行していると疑われる
②大量の尿たんぱく、むくみが見られる（ネフローゼ症候群など）
③たんぱく尿、血尿があり、急激な腎機能低下がある（急速進行性腎炎）
④たんぱく尿、血尿はないが、原因不明の腎機能低下がある

このほか、腎移植をした腎臓の働きを調べるために行われることもあります。

具体的には、腰から針を刺して、腎臓の組織を採取します。局所麻酔で、痛みはほとんど感じず、15～20分ほどで終わる検査です。しかし、腎臓は血管が多い臓器なので検査による出血があり、検査後には安静が必要です。事前の検査も含めて1週間程度の入院となります。

（川村哲也）

第5章

治療についての疑問 16

Q56 慢性腎臓病の治療はどのように行いますか？

慢性腎臓《じんぞう》病（ＣＫＤ）とは、慢性的に腎機能の低下やたんぱく尿などの腎臓の障害が続く病気の総称です。原因は多岐にわたり、腎臓そのものに一次的に障害をきたすさまざまな腎臓病が知られていますが、最近増えているのは、加齢に加え、糖尿病や高血圧、脂質異常症、内臓脂肪型肥満（メタボリックシンドローム）、喫煙などの生活習慣病の結果として、腎障害をきたし、慢性腎臓病となる患者さんです。

慢性腎臓病の治療は、原因（原疾患《げんしっかん》）を明らかにして、それに対する適切な対策を行うことが基本となります。ＧＦＲ（糸球体ろ過量）の状態やたんぱく尿の数値なども考慮しながら、重症度のステージ別に適切な治療を進めていきます（56ジペー参照）。

生活習慣病による慢性腎臓病では、食事療法や運動療法により血糖や血圧、脂質を厳格に管理しながら、減塩や肥満、糖尿病コントロールのためにエネルギー制限を実施、個々の患者さんの状態に応じてたんぱく質やカリウムの調整が必要になります。

喫煙者は非喫煙者に比べて末期腎不全に2・3倍進行しやすいため、ただちに禁煙することが重要です。当然のことながら、肥満している人は肥満を解消し、飲酒は適量を守り、適度な運動を実践し、休養を十分に取り、過度のストレスをため込まないことも大切です。

慢性腎臓病の治療は長期戦になります。かかりつけ医や腎臓専門医との連携を密にして、検査や治療を続け、腎臓にいい生活習慣を長く続けることが、腎機能を保ち腎不全への進行を防ぐ唯一の道といえます。

（山縣邦弘）

慢性腎臓病を引き起こす主な原因

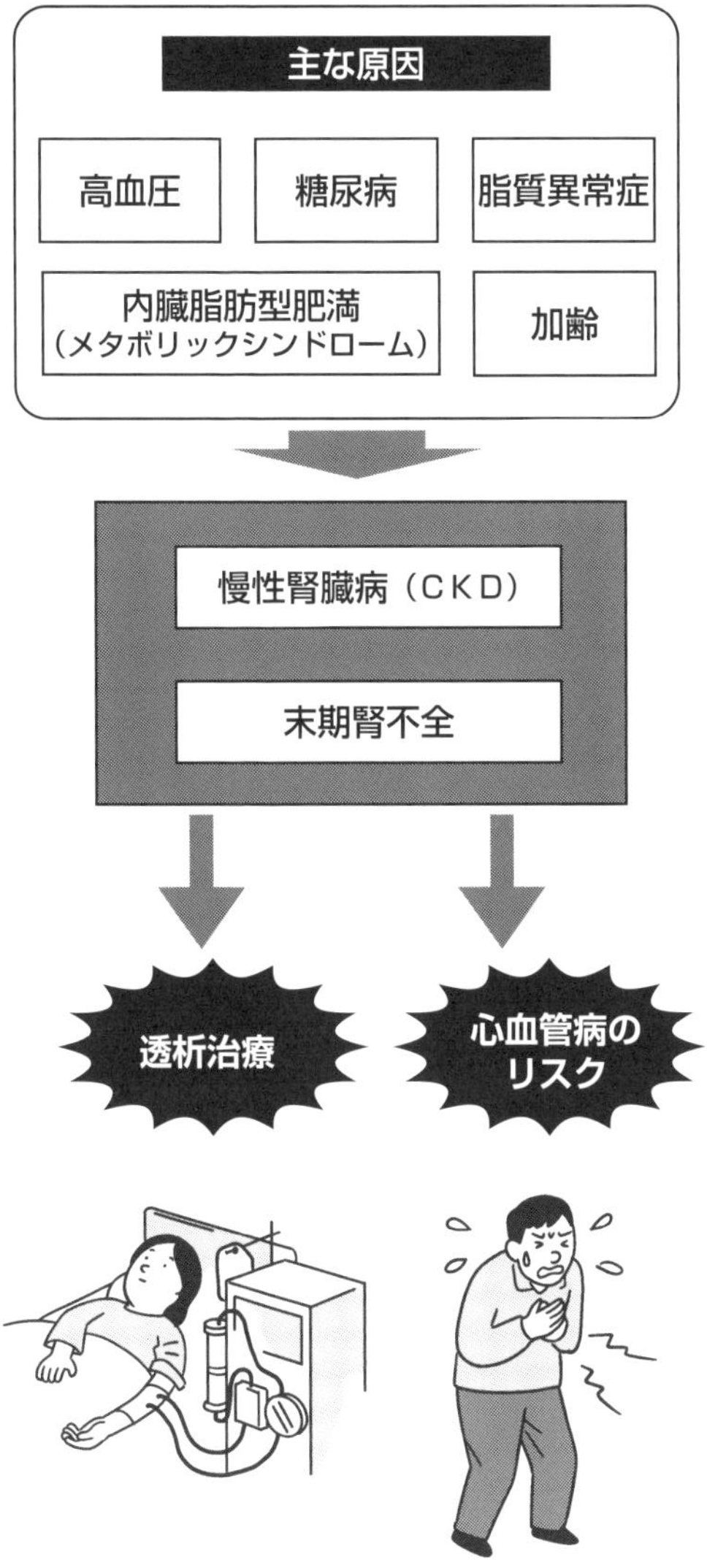

Q57 ネフローゼ症候群の治療について教えてください。

「ネフローゼ症候群」と診断された場合、その後の治療のためには、その病型の診断が必須《ひっす》です。そこでまずは入院して、腎《じん》生検などの精密検査を受けることになります。ネフローゼ症候群の浮腫《ふしゅ》に対しては安静を保ち、利尿薬と塩分制限の食事療法を行うのが基本です。そのうえで、病型に応じた薬物療法を行います。

薬物療法では、小児から若年成人に多い、微小変化型ネフローゼ症候群が原因の場合は、「ステロイド療法」が行われます。内服薬と点滴があり、通常は内服で治療が行われ、初期の投与量から病状を見ながらゆっくり減量していきます。ステロイドで十分な効果が得られない場合には、免疫抑制薬のほか、血栓を防ぐ抗血小板薬や、血圧降下とたんぱく尿の減少作用があるＲＡＳ阻害薬（レニン-アンジオテンシン-アルドステロン系阻害薬）を用いることもあります。なお、糖尿病性腎症が原因のネフローゼ症候群の場合には、長年の血糖管理不良が原因のために完治は難しく、腎臓以外にも糖尿病性網膜症などの合併が多く、全身の血管病変の評価が必要で、血糖管理と同時にＲＡＳ阻害薬や「ＳＧＬＴ２阻害薬」などで治療が行われます。

（山縣邦弘）

Q58 糖尿病性腎症の治療法について教えてください。

糖尿病性腎《じん》症は、進行の度合いによって第1期から第5期までの6つのステージに分かれています（次ページの表参照）。治療では、血糖・血圧のコントロールが重要で、それぞれの段階に応じた治療と生活基準が指導されます。食事制限では、第2期まではエネルギー制限が基本で、第3期からはたんぱく質の調整が考慮されます。

血糖コントロールでは、ヘモグロビンA1c7・0％未満が目標値となります。薬物療法では、食後のブドウ糖の吸収を抑える「α《アルファ》‐グルコシダーゼ阻害薬」や、インスリンの分泌《ぶんぴつ》を促す「DPP‐4阻害薬」「GLP‐1受容体作働薬」、尿糖を増加させ利尿効果もある「SGLT2阻害薬」などが使われます。

血圧コントロールでは、最高血圧130ミリ、最低血圧80ミリ未満が目標となります。1日当たりの塩分量を6グラム未満にする食事制限が行われ、それでも血圧が下がらない場合には、「ACE（アンジオテンシン変換酵素）阻害薬」や「ARB（アンジオテンシンⅡ受容体拮抗《きっこう》薬）」といったRAS阻害薬という種類の薬が処方されます。

（山縣邦弘）

糖尿病性腎症の主な治療と生活基準

病期	検査値		治療・食事・生活のポイント
	GFR	尿たんぱく	
第1期 （腎症前期）	正常～高値	陰性	・糖尿病食を基本とする ・血糖コントロールに努める ・たんぱく質の過剰摂取をさける ・糖尿病の運動療法
第2期 （早期腎症期）	正常～高値	微量アルブミン尿	・糖尿病食を基本とする ・血糖コントロールに努める ・降圧治療を行う ・たんぱく質制限食が始まる ・過激な運動は不可
第3期A （顕性腎症前期）	60以上	1日当たり1グラム未満	・厳格な血糖コントロールを行う ・降圧治療を行う ・たんぱく質制限食 ・運動制限あり
第3期B （顕性腎症後期）	60未満	1日当たり1グラム以上	・厳格な血糖コントロール ・降圧治療を行う ・たんぱく質制限食 ・運動制限あり
第4期 （腎不全期）	高度低下（高窒素血症・たんぱく尿）	陽性	・厳格な血糖コントロール ・降圧治療を行う ・たんぱく質制限食 ・貧血治療 ・運動制限あり
第5期 （透析療法期）	透析治療中		・厳格な血糖コントロール ・降圧治療を行う ・たんぱく質制限食 ・水分制限 ・軽い運動は可

Q59 腎硬化症はどのようにして治療しますか？

「腎《じん》硬化症」は、高血圧による動脈硬化が原因で腎臓の糸球体の機能が低下する病気です。従来、腎硬化症には、良性のものと、悪性のものの２つがあるとされてきました。しかし、最近では、後者は「悪性高血圧症」とされ、腎硬化症とは別の病気としてとらえられています。

腎硬化症の治療では、基本的に高い血圧を下げることが基本となります。たんぱく尿がない場合であれば、最高血圧130ミリ、最低血圧80ミリ未満を目標に生活習慣を改めていきます。

食事療法では、１日の塩分（食塩）摂取量を３グラム以上６グラム未満に抑え、血圧コントロールを行います。肥満は腎臓の負担を増やして腎機能を悪化させるので、肥満している場合はＢＭＩ（肥満度を表す体格指数）が25未満になるように減量します。また、減量には適度な運動も効果的です。心臓などに問題がなければ、１日の合計が30分以上になるように有酸素運動を行います。

嗜《し》好《こう》品では、アルコールは、日本酒で１日１合未満、ビールで１日中ビン１本まで

腎硬化症の主な治療法

生活習慣の改善	高血圧	血圧を下げる（目標値は最高血圧 130ミリ、最低血圧 80ミリ未満）
		塩分摂取量を 1 日 6グラム未満 3グラム以上にする
	肥満	ＢＭＩ（肥満度を表す体格指数）が 25 未満になるように減量する
	アルコール	日本酒で１日１合未満、ビールで１日中ビン１本までにする。女性はさらに減らす
	喫煙	速やかに禁煙する
薬物療法	むくみ	利尿薬
	高血圧	「ＡＣＥ阻害薬」や「ＡＲＢ」などのＲＡＳ阻害薬

とし、女性の場合は、さらに量を減らします。タバコは腎機能を低下させるだけでなく、脳卒中や心筋梗塞《こうそく》などの心血管病の引き金となるので、厳禁です。

薬物療法では、むくみがある場合には、利尿薬が用いられます。また、たんぱく尿が陽性の場合にはＲＡＳ阻害薬の「ＡＣＥ（アンジオテンシン変換酵素）阻害薬」や「ＡＲＢ（アンジオテンシンⅡ受容体拮抗《きっこう》薬）」が第１選択となりますが、たんぱく尿陰性の高齢者ではカルシウム拮抗薬などを用いて、血管を拡張して血圧の降下を図ります。ただし、ＲＡＳ阻害薬を使うさいには特に夏場の脱水や高カリウム血症のリスクが高まるので、血液中のカリウム値に注意する必要があります。（山縣邦弘）

Q60 IgA腎症（慢性糸球体腎炎）の治療法について教えてください。

「IgA腎症《アイジーエーじん》」は、人の粘膜を異物から守るIgA（免疫グロブリンA）というたんぱく質が腎臓に沈着して糸球体が障害される、慢性糸球体腎炎の代表的な疾患《しっかん》です。発症から20年がたつと約40％の人が末期腎不全となり、人工透析療法が必要になるといわれています。血尿やたんぱく尿が出はじめた、腎機能の悪化のないなるべく早期に腎生検を行い、確定診断と同時に病状の把握を行うことが求められます。

治療には、腎機能が正常でたんぱく尿の程度が強い場合には、抗炎症作用のある副腎皮質ステロイド薬を内服する「経口ステロイド療法」、高用量のステロイド薬を3日間連続で点滴する「ステロイドパルス療法」などがあります。また、咽頭《いんとう》炎などの上気道炎後に血尿、たんぱく尿、腎機能の悪化がある場合には、扁桃《へんとう》を手術で摘出する方法や、摘出したあとにステロイドパルス療法を行う方法が有効と考えられています。

（山縣邦弘）

日本腎臓学会では、IgA腎症を透析療法に至るリスクに応じて4段階に分類し、たんぱく尿の程度と腎機能、腎生検の結果を総合的に判断して治療法を決めるように求めている（次ページの表参照）。

ＩｇＡ腎症の治療方針

	生活指導	食事療法	薬物療法
低リスク群	●禁煙・節酒・体重管理 ●運動制限は必要なし ●３～６ヵ月に一度の診察	●過剰な塩分摂取をさける ●腎機能が低下している場合、たんぱく質を制限（標準体重１キロ当たり0.8～1.0グラム／日）	●尿たんぱく、高血圧がある場合、抗血小板薬、降圧薬など ●副腎皮質ステロイド療法は、急性の病変がある場合に 検討される
中等リスク群	●禁煙・節酒・体重管理 ●腎機能、尿たんぱく、血圧などに応じて、運動量を調節する ●１～３ヵ月に一度の診察	●腎機能、尿たんぱく、血圧などに応じて、食塩を制限（基本は6グラム未満／日）、たんぱく質を制限（標準体重１キロ当たり0.8～1.0グラム／日）	●尿たんぱく、高血圧がある場合、抗血小板薬、降圧薬など ●腎組織所見などにより、副腎皮質ステロイド療法（パルス療法含む）が行われる
高リスク群	●禁煙・節酒・体重管理 ●腎機能、尿たんぱく、血圧などに応じて、運動量を調節する ●１ヵ月に一度の診察 ●妊娠・出産には注意が必要	●腎機能、尿たんぱく、血圧などに応じて、食塩を制限 （基本は6グラム未満／日）、たんぱく質を制限（標準体重１キロ当たり0.6～0.8グラム／日） ●必要に応じてカリウム制限	●尿たんぱく、高血圧がある場合、抗血小板薬、降圧薬など ●腎組織所見などにより、副腎皮質ステロイド療法（パルス療法含む）が行われる
超高リスク群	●高リスク群に準じる ●妊娠・出産には厳重な注意が必要	●食塩を制限（基本は6グラム未満／日）、たんぱく質を制限（標準体重１キロ当たり0.6～0.8グラム／日） ●必要に応じてカリウム制限	●高リスク群に準じる ●病態によっては、慢性腎不全の治療を行う

「IgA 腎症診療指針 - 第３版 -」日本腎臓学会より

Q61 多発性嚢胞腎の治療はどう行いますか？

「多発性嚢胞腎《のうほうじん》」は、左右両側の腎臓に嚢胞（水分がたまった袋）が無数にできる病気です。大小多数の嚢胞がだんだん大きくなり、腎臓を構成するネフロンが徐々に圧迫されて腎機能が低下します。肝臓などにも嚢胞ができやすくなります。多くの場合、70歳ごろまでに約50％の人が腎不全になり、透析治療が必要になるとされています。主な症状は、食欲低下・だるさ・疲労感・息切れなどで、嚢胞が大きくなることで腹部に圧迫感や痛みが生じたり、腹部が太くなったりすることがあります。脳動脈瘤《りゅう》ができやすく、脳出血も通常より高い頻度で起こります。

遺伝性の疾患《しっかん》で、親族に同じ病状の人がいることが多い一方、孤発例（単発的に発症）も見られます。30～40代で腹部超音波検査により発見されることが多いのですが、家族歴などがある場合には若年時の少数の腎嚢胞から診断に至る場合もあります。

多発性嚢胞腎では、体内の水分が不足すると尿を濃くするためのホルモン（バソプレシン）によって、嚢胞が増大して悪化しやすくなります。そのため、このバソプレシンの受容体拮抗《きっこう》薬である「トルバプタン」の治療により、嚢胞の拡大抑制および腎

多発性嚢胞腎の主な治療法

対症療法

血圧コントロール

最高血圧 130ミリ、最低血圧 80ミリ未満が目標

食事療法

- 血清クレアチニン値が 1.5ミリグラムを超えた場合には、塩分とたんぱく質を制限

薬物療法

- 高血圧には、ＲＡＳ阻害薬などの降圧薬を用いる
- 腹部の痛みには鎮痛薬を処方
- 新タイプの利尿薬「バソプレシン受容体拮抗薬（トルバプタン）」が登場

水分摂取

- 1日2リットルを目安に水分を摂取

機能低下の遅延をめざします。トルバプタンによる治療が適応となるのは腎容積がすでに増大しており、かつ腎容積の増大速度が速い患者さんで、治療前には腎臓専門医による正確な評価が必要です。この嚢胞拡大を抑制する治療は、腎機能が保たれている時期でより有効であることがわかっており、早期に治療開始することが重要です。

それ以外にも、血圧のコントロールは有効で、最高血圧130ミリ、最低血圧80ミリ未満が目標となります。毎日の食生活では塩分を控え、降圧薬として「ARB（アンジオテンシンⅡ受容体拮抗《きっこう》薬）」などのRAS阻害薬が用いられます。腎機能の低下が見られる場合には、慢性腎臓病のステージに合わせた食事療法が行われます。

（山縣邦弘）

Q62 腎盂腎炎の治療はどう行うのですか？

「腎盂腎炎《じんうじんえん》」とは、膀胱《ぼうこう》や尿路に感染した細菌が、腎盂や腎臓に侵入して炎症が生じる病気です。腎盂腎炎には主に大腸菌などが原因で発症する「急性腎盂腎炎」と、尿路結石や膀胱尿管逆流などを伴い難治性の「複雑性尿路感染症」があります。

急性腎盂腎炎では、排尿時痛や頻尿、残尿感のほか、高熱や悪寒、吐きけ、腰や背中の痛みなどが現れます。細菌が血流に乗って全身に運ばれると、呼吸不全や腎不全、著しい臓器障害が起こる「敗血症」に陥ることがあり、命にもかかわるので、早期の受診と適切な抗菌薬の投与が必要です。

細菌感染が原因なので、腎盂腎炎の治療では、急性でも複雑性でも抗菌薬を使った薬物療法が基本となります。また、水分を多くとるようにして、侵入した細菌を体外へ洗い流すことが大切です。軽症の腎盂腎炎であれば、外来通院で点滴または内服の抗生薬による治療が行われます。高熱が持続する重症の場合には、入院して治療が必要となります。複雑性尿路感染症の場合には、長期の抗菌療法が必要であり、泌尿器《ひにょうき》科での原因検索が必要となります。

（山縣邦弘）

Q63 ループス腎炎の治療は何をしますか?

膠原《こうげん》病は皮膚や内臓の結合組織や血管に炎症・変性が起こり、さまざまな臓器に炎症を起こす病気の総称です。全身性エリテマトーデス（SLE）はこの膠原病の一種で、本来自分の体を守るはずの免疫機能に異常が生じ、自己抗体（自分の体の組織に対する抗体）が全身の臓器を攻撃するという病気です。SLEは圧倒的に女性に多く、特に20～40代の発症が目立っています。発熱や関節痛、貧血、目の網膜の異常、両ほおの蝶形紅斑《ちょうけいこうはん》（蝶の形をした赤いあざ）など、さまざまな症状が現れます。

このSLEにより腎臓《じんぞう》が障害される病気が「ループス腎炎」で、腎臓にある糸球体に炎症が生じることで、たんぱく尿や血尿が出るようになります。

病状によりたんぱく尿や血尿のみから、ネフローゼ症候群、さらに急速に腎機能悪化をきたすこともあります。治療は副腎皮質ステロイド薬や免疫抑制薬による薬物療法が中心で、たんぱく尿などの尿異常や腎機能の低下を防ぐ治療も行います。治りにくいやっかいな病気なので、長期にわたって薬を服用するケースも少なくありません。

（山縣邦弘）

Q64 痛風腎にはどんな治療がありますか？

尿酸とはプリン体が代謝されてできる老廃物で、血液中の尿酸の量が増えると高尿酸血症になります。この尿酸が結晶化して足の関節などに蓄積すると、「風が吹くだけで痛い」といわれるいわゆる「痛風」となり、腎臓《じんぞう》に沈着して炎症を起こすと「痛風腎」となります。血中の尿酸濃度の上昇した高尿酸血症では、尿中への尿酸の排出が増えて尿酸結石ができやすくなり、それが尿管を傷つけて腹部や背中に激しい痛みが起こるほか、血尿が出る場合もあります。

慢性腎臓病では、血清尿酸値は７・０ミリグラム以下が目標ですが、痛風腎の治療では、６・０ミリグラム未満を目標に尿酸のコントロールを行い、同時に通常の慢性腎臓病の治療を行います。特に、食事療法では、減塩、低たんぱく食に加えて、プリン体が多い食品（レバー、白子、ビール、干物など）を控えます。尿酸が体外に排出されるように水分を十分にとり、尿の量を増やすことを心がけます。薬物療法では、尿酸の排出を促す薬や尿酸の生成を抑制する薬などを症状に合わせて服用します。必要に応じて、尿路結石を破砕する治療を行うこともあります。

（山縣邦弘）

Q 65 市販の鎮痛薬やカゼ薬、胃薬は飲んでも大丈夫ですか？

慢性腎臓《じんぞう》病の人は、市販の薬には十分気をつけなければなりません。というのも、薬に含まれる成分によっては、腎機能の低下を招いてしまうからです。特に十分に注意したいのが、カゼや発熱、頭痛のさいに使われる非ステロイド性抗炎症薬（ＮＳＡＩＤｓ《エヌセイズ》）です。

ＮＳＡＩＤｓにはさまざまな種類があり、解熱・鎮痛作用に優れていますが、加齢などで腎臓の動脈硬化のある人が服用すると、一時的に腎臓の糸球体への血流を減少させることがあるため、ＧＦＲ（糸球体ろ過量）をも減少させて、腎機能が急激に悪化してしまうことがあります。高血圧や糖尿病の合併症があると、腎臓の動脈硬化が進んでいることが多く、腎機能の急激な悪化を招くことがあります。

市販の胃薬や便秘薬も、腎臓から排泄《はいせつ》される成分が多く含まれていることがあります。ほかにも、薬の飲み合わせによって慢性腎臓病の薬の効果を弱める場合があるので、市販薬を利用する前には、必ず主治医に相談してください。

（山縣邦弘）

ＢＭＩの計算方法

ＢＭＩ＝体重（キロ）÷身長（メートル）÷身長（メートル）

●計算例：身長が156センチ、体重が62キロの人のＢＭＩは、
62キロ÷1.56メートル÷1.56メートル＝25.48（25以上で肥満判定）

標準体重＝22×身長（メートル）×身長（メートル）

●計算例：身長が156センチの人の標準体重は、
22×1.56メートル×1.56メートル＝53.54キロ

Q66 体重に目標値はありますか？

肥満は慢性腎臓《じんぞう》病を進行させる危険因子なので、適正体重を心がけてください。

肥満しているかどうかは、ＢＭＩ（体格指数）という基準を使って算出します。25以上になると肥満と判定され、18・5以下ではやせすぎと判定されます。統計的に最も病気になりにくいとされる標準体重は、ＢＭＩが22となる体重です（標準体重の計算式は、上の図参照）。

肥満の人は、いきなりＢＭＩ22をめざすのではなく、まずは3～6ヵ月で現在の体重を5％ダウンさせることを目標にしてください。単に食べる量を減らすのではなく、栄養バランスもよく考え、適度な運動も取り入れて標準体重に近づけていきましょう。（山縣邦弘）

Q67 血圧管理が重要のようですが、目標値は何ミリですか？

腎臓《じんぞう》には、体内の余分な水分や塩分を尿として排泄《はいせつ》して、血圧をコントロールする役割があります。高血圧が持続して腎硬化症になると、腎機能が低下して余分な水分や塩分を排出する働きが悪くなります。すると、血液量が増加してさらなる高血圧を招きます。また、腎臓は血圧を調整する物質であるレニンを分泌《ぶんぴつ》しています。高血圧が続くと腎臓の糸球体の血管にも圧力がかかり、糸球体の血流が阻害されてレニンの分泌が刺激されたり、糸球体が破壊されたりして腎臓の機能がさらに低下する悪循環に陥ります。同様に全身の動脈にも負荷がかかり、心血管病のリスクが高まります。

慢性腎臓病では血圧のコントロールが重要です。最高血圧130ミリ、最低血圧80ミリ未満を目標に、医師から指導された塩分やたんぱく質を減らすなどの食事療法を守り、肥満があれば腹八分を心がけて、適正血圧をめざしてください。血圧計を用意すれば家庭でも測定できます。毎日同じ時間に測るのが大切で、起床時と就寝前の1日2回を基本として、測定してください。

（山縣邦弘）

Q68 血糖値はどこまで下げればいいですか？

血糖値が高い状態が長期間続くと動脈硬化が進行し、全身の血管の代謝障害から糖尿病のさまざまな障害を発症します。腎臓《じんぞう》の血管も例外ではなく、細かな血管が障害されて、尿中にアルブミンが漏れるようになり、さらに進行すると腎機能が低下していきます。やがて末期慢性腎不全に進行し、透析治療が必要になることもあります。

糖尿病性腎症による慢性腎臓病では、血糖の適切なコントロールが必要です。血糖コントロールでは、赤血球中のヘモグロビンがどれくらいの割合で糖と結合（糖化）しているかをパーセント（％）で示し、過去１～２ヵ月の血糖値の平均を表す「ヘモグロビンＡ１ｃ」という数値が使われます。血糖値の正常化をめざす場合は、ヘモグロビンＡ１ｃが６・０％未満、合併症を予防するには、７・０％未満、低血糖などの副作用やそのほかの理由で治療強化が困難な場合には８・０％未満が目標値です。

糖尿病性腎症の早期発見には、腎機能が低下する前に定期的（３ヵ月に１回程度）に尿アルブミン検査を受けてください。そして、主治医と相談しつつ、食事療法や運動療法、薬物療法を行って、血糖値を上手にコントロールしてください。（山縣邦弘）

Q69 血中脂質は関係ありますか？

血液中に含まれる中性脂肪やコレステロールなどの脂質を「血中脂質」といいます。中性脂肪は、空腹時のエネルギーになるほか、体の臓器を保護する作用があります。コレステロールにはＨＤＬ（善玉）とＬＤＬ（悪玉）の2種類があり、ＬＤＬは、肝臓から全身に送られて細胞膜やホルモンの材料になります。ＨＤＬは体内の余分なＬＤＬを回収して肝臓に戻す働きがあり、いずれも体には欠かせない成分です。

ところが、ＬＤＬとＨＤＬのバランスがくずれて、血液中の脂質が過剰になると、血管壁に脂質がたまるなどして全身の動脈硬化が進みます。腎臓《じんぞう》は血管の豊富な臓器なので、動脈硬化が進むと腎硬化症となって、腎臓の糸球体の毛細血管も障害されて、腎臓の機能低下を招きます。慢性腎臓病では、血中脂質をもコントロールする必要があります。ＬＤＬコレステロールは１２０ミリグラム未満、Ｎｏｎ－ＨＤＬコレステロール（総コレステロールからＨＤＬコレステロールを差し引いた数値）は１５０ミリグラム未満が管理目標です。食事療法や運動療法を行い、生活習慣を改善するほか、脂質低下と腎臓保護の効果がある「スタチン」という薬を処方することもあります。

（山縣邦弘）

Q70 尿酸値の管理目標はありますか？

尿酸とは、「プリン体」という物質が体内で分解されてできる老廃物のことです。腎臓《じんぞう》の働きが正常であれば尿酸は尿とともに体外へ排出されるので、体内の尿酸の濃度は一定に保たれています。ところが、腎機能が低下すると尿酸の排出がうまくできなくなって尿酸値が高くなります。この状態が長引くと、血液中の尿酸が結晶化して、「痛風」や「痛風腎」、「尿路結石」といった病気を引き起こします（Q64参照）。

血液中の尿酸の濃度を示した数値が「尿酸値（血清尿酸値）」で、尿酸値が7・0㎎《ミリグラム》を超えると「高尿酸血症」と診断されるので、慢性腎臓病では7・0㎎《ミリグラム》以下に抑えることが目標値となります。高尿酸血症の治療では、Q89にある食事療法や生活習慣の改善をまず行います。そのうえで尿酸値が8・0㎎《ミリグラム》未満で、過去に痛風の既往症がなければ、通常、薬は用いません。尿酸値8・0㎎《ミリグラム》台は、合併症の有無や患者の体質・症状などから判断し、9・0㎎《ミリグラム》以上になると合併症や痛風発作の危険が高まるので、尿酸生成阻害薬や尿酸排泄《はいせつ》促進薬を使用した薬物療法を行い、治療開始後は、尿酸値6・0㎎《ミリグラム》未満にコントロールすることが目標となります。

（山縣邦弘）

Q71 慢性腎臓病の合併症を抑える薬はありますか？

慢性腎臓病の合併症を抑える主な薬

病名	薬の種類	働き
貧血	赤血球造血刺激因子製剤（ESA）	赤血球を増やす
高カリウム血症	陽イオン交換樹脂	過剰なカリウムを排出
高リン血症	リン吸着薬	体内へのリンの吸収を抑える
骨粗鬆症	活性型ビタミンD製剤	骨の生成を促す
高血圧	カルシウム拮抗薬	血管を拡張させて血圧を下げる
	RAS阻害薬（ACE阻害薬、ARB）	血圧を上げる物質の働きを抑える
	利尿薬	余分な水分や塩分を尿として排泄
糖尿病	DPP4阻害薬	インスリンの分泌を促す
	SGLT2阻害薬	腎臓でのブドウ糖の再吸収を抑制
	GLP-1アナログ	インスリンの分泌を促す
	α-グルコシダーゼ阻害薬	食後のブドウ糖吸収を遅らせる
	インスリン製剤	不足するインスリンを注射で補う
脂質異常症	スタチン	肝臓のコレステロール合成を抑制
腎炎・ネフローゼ	副腎皮質ステロイド薬	炎症や免疫異常を抑える

薬物療法では、慢性腎《じん》臓《ぞう》病の薬だけでなく、ステージが進行するとともに現れる合併症に対応した薬も処方していきます（上図参照）。

使用する薬は症状や進行度合いにより異なり、同時に、食事や生活の改善を行う必要があります。薬の服用のしかたについては、医師の指示に従ってください。（山縣邦弘）

第6章

食事療法についての疑問36

Q72 食事療法は重症度ごとにやり方が変わるのですか？

腎《じん》機能低下の重症度に合わせて、食事療法の内容は変わってきます。慢性腎臓病のハイリスク群（G1以前の慢性腎臓病予備群）からG1、G2までは、食事療法で腎機能を改善することが可能ですが、G3以降は、それ以上腎機能を低下させないようにすることが目的です。

食事療法の基本は、慢性腎臓病を進行させるリスクである**肥満・高血圧・糖尿病・脂質異常症**などを予防・改善することです。したがって、どのステージでも、肥満を予防・解消するための**エネルギー調整**と、減塩が欠かせません。

G1、G2のうちは、健康な人が生活習慣病を予防するのと同じように、エネルギー調整と減塩（1日6㌘未満）をすれば、家族と同じ食事をすることができます。

G3になると腎機能の低下が進んで、減塩に加え、たんぱく質やリンも制限する必要が出てきます。たんぱく質の制限はリンの制限にもつながります。**G3b**以降はカリウム制限も加わり、G5で透析を導入すると、水分制限も必要です（次㌻の図参照）。

＊ G1 〜 G5 の GFR ステージ分類については 57㌻参照。

慢性腎臓病の食事療法の目標と1日の制限

	G1	G2	G3a	G3b	G4	G5
塩分	制限 6グラム未満 3グラム以上／日 →（高血圧やむくみがなければ男性7.5グラム、女性6.5グラム未満）				制限 5グラム未満 3グラム以上（強いむくみがある場合）	
たんぱく質	過剰に摂取しない →（目安は標準体重1キロ当たり1.3グラムを超えないこと）		制限 0.8～1.0グラム（標準体重1キロ当たり）	制限 0.6～0.8グラム（標準体重1キロ当たり）→		
エネルギー	摂取エネルギー／日＝標準体重×25～35キロカロリー →					
カリウム	制限なし →			制限 2,000ミリグラム以下／日（高カリウム血症の場合）	制限 1,500ミリグラム以下／日（高カリウム血症の場合）	
リン	正常範囲を保つ →					高リン血症があれば 制限
水分						人工透析導入後は 制限

（日本腎臓学会『慢性腎臓病に対する食事療法基準2014』）

　このように、ステージが進むほど食事制限は厳しくなり、腎臓病治療用特殊食品（低たんぱく食品など）を用いたり、手間をかけて食事を準備したりしなければならなくなります。家族と同じ食事をするのも難しくなってくるでしょう。

　食事療法を始めるのは早ければ早いほうがいいのです。軽症のうちに食事療法を徹底すれば、低コストで手間も少なく、らくに腎機能を維持していくことができます。（富野康日己）

G1 G2 G3 G4 G5

Q73 G1～G2では食事で何に注意が必要ですか？

G1、G2のうちは、健康な人の生活習慣病予防と同じようなエネルギー調整と減塩が中心となります。しかし、ただ漫然と「健康的な食事をすればいい」と思っているだけでは長続きしません。慢性腎臓《じんぞう》病の食事療法で、なぜ塩分やエネルギー摂取量に配慮するのか、その理由を、きちんと理解しておきましょう。

①塩分制限の目的

厚生労働省の「平成30年国民健康・栄養調査」によると、日本人は1日平均10・1グラムの食塩をとっています。慢性腎臓病ではG1、G2の段階から、高血圧があれば、これを6グラム未満に抑えることとされています（高血圧やむくみがなければ、男性1日7・5グラム未満、女性1日6・5グラム未満）。食塩のとりすぎは腎臓に負担をかけます。のどが渇いて水分の摂取量が多くなると、体内の水分が増え、腎臓は尿量を増やそうと頑張りますが、これをくり返すうちに腎臓が疲れ果ててしまい、やがて腎機能が低下していくのです。また、食塩のとりすぎは高血圧も招きます。食塩に含まれるナトリウムが体内に増えると、腎臓は水分量を増やしますが、それに伴い血液量も増えるため、心臓が強い圧力で血液を送り出すようになり、高血圧になるのです。高血圧になると腎臓の血管が傷ついて動脈硬化を招き、より腎機能が低下してしまいます。減塩すれば、体内の水分量が減って、腎臓や血管に与える負担を軽くすることができるのです。

ただし、食塩は体に必要なものなので、極端に減らしてもよくありません。健康な人も含め、成人で最低1日3グラム以上の食塩は必要です。血液中のナトリウム量が少なすぎると、低ナトリウム血症を起こすことがあるからです。慢性腎臓病の人が低ナトリウム血症になると、腎機能がより低下する可能性もあります。特に高齢者は、食事量の減少に伴い食塩の摂取量も少なくなりがちなので、注意が必要です。

②エネルギー摂取量

1日のエネルギー摂取量は、ステージに関係なく「標準体重×25～35キロカロリー」とされています（糖尿病の人はより細かい目安がある）。数値に幅があるのは、人によって年齢、性別、身体活動度（生活のなかで体を動かす度合い）が異なるからです。

エネルギーのとりすぎは肥満を招きますが、不足してもよくありません。不足すると、体は筋肉などのたんぱく質を分解してエネルギーに変えようとするので、腎臓に負担がかかってしまいます。ステージに関係なく、多すぎず少なすぎない、適切なエネルギーをとることが重要とされているのです。

（富野康日己）

Q74 G3以上の食事では、どんな制限がありますか？

G3以上とそれ以前との食事療法の最も大きな違いは、その目的です。食事療法で腎《じん》機能の進行を食い止めることができるのはG3までで、それ以降は進行をできるだけ遅らせることが目的となるため、G3で食事療法をきちんとできるかどうかが、その後の治療のカギを握ります。G3から始まる塩分・たんぱく質・カリウムの制限について、その目的や意義を理解しておきましょう。

①塩分制限の目的

G3以降、食塩は、高血圧でなくても1日6g《グラム》未満を厳守です。G4でむくみが強い場合は、塩分を1日5g《グラム》未満に制限することもあります。腎機能が低下してくると、体内に取り入れた水分に見合うだけの尿を十分排泄《はいせつ》することができなくなってきます。塩分の制限は、体内にたまる水分を減らし、むくみや、心血管病（脳卒中・心筋梗《こう》塞《そく》・心不全など）を招かないようにするためです。

また、食塩摂取量を減らしたほうが、薬の量を減らせる場合もあります。高血圧の治療薬「ACE（アンジオテンシン変換酵素）阻害薬）」「ARB（アンジオテンシンⅡ

受容体拮抗《きっこう》薬）」は、塩分を制限したほうがよく効くことがわかっています。

②たんぱく質

Ｇ３ａは標準体重１キロ当たり０・８～１・０グラム、Ｇ３ｂ以上は０・６～０・８グラムに制限されます。たんぱく質は筋肉や血液の材料になる大切な栄養素ですが、腎機能が低下すると、体内でたんぱく質を利用したあとにできる老廃物を十分に排泄《はいせつ》できません。

そこで、なるべく老廃物の量を減らすために、たんぱく質が制限されます。

たんぱく質を制限しても腎機能がもとどおりになるわけではありませんが、腎機能の低下を抑えることで、透析療法を回避したり、開始する時期を遅らせたりすることができます。

③カリウム

高カリウム血症（50ページ参照）があれば、Ｇ３ｂで１日２０００ミリグラム以下、Ｇ４以降は１日１５００ミリグラム以下の制限となります。高カリウム血症から不整脈などを招かないよう、血液中のカリウム濃度を下げるためです。果物や野菜に多く含まれるカリウムには味がなく、食塩のように食感に頼った調整は難しいうえ、体に取り入れたいビタミンが豊富です。カリウムの調整には、食品や調理法に関する知識が必要となります（１５０ページ参照）。

（富野康日己）

Q75 G5での食事で注意すべきことはなんですか？

G5で塩分を1日6グラム未満に抑えてもむくみが強く出る場合は、腎《じん》機能がかなり低下していると考えられ、塩分の制限は、より厳しく5グラム未満となります。尿毒症（54ページ参照）の症状が現れると血液透析や腹膜透析を導入することになり、たんぱく質、カリウム、リンのほか、水分量も制限されます。

透析によって尿毒症の症状は改善できますが、高血圧、高カリウム血症、高リン血症などは解消できず、薬物療法のほかに食事療法も必要です。特に、塩分と水分量をきちんとコントロールして、心不全などを予防することが重要です。

（富野康日己）

透析療法導入後の食事療法

	血液透析（週3回）	腹膜透析
塩分	6グラム未満 3グラム以上／日	[除水量*（リットル）×7.5＋尿量（リットル）×5]グラム
たんぱく質	0.9～1.2グラム（標準体重1キロ当たり）	
エネルギー	30～35キロカロリー（標準体重1キロ当たり）	
カリウム	2,000ミリグラム以下／日	制限なし（高カリウム血症があれば2,000ミリグラム以下／日）
リン	[たんぱく質摂取量（グラム）×15]ミリグラム以下（リンはたんぱく質が多い食材にも多いので、たんぱく質摂取量をもとに計算する）	
水分	できるだけ少なく	除水量（ミリリットル）＋尿量（ミリリットル）

＊除水量：透析によって除かれた水分量

（日本腎臓学会『慢性腎臓病に対する食事療法基準2014』）

G1 G2 G3 G4 G5

Q 76 減塩を強くすすめられました。どうすればいいですか？

漬物やしょうゆ、みそなど、私たち日本人が日常的によく食べるものには意外とたくさんの食塩が含まれています。そのため、世界的に見ても日本人の塩分摂取量は多く、1日平均10・1グラム（男性11グラム、女性9・3グラム）となっています（厚生労働省平成30年国民健康・栄養調査）。

慢性腎臓病ではこれを1日6グラム未満に減らすこととされているので、およそ3分の2～2分の1に減塩することになります。

減塩は、食事療法の重要ポイントです。塩分摂取量を減らすだけでも、高血圧やむくみ、尿たんぱくなどの症状は軽減してきます。

しかし、減塩は食事療法の難関でもあります。塩味は食事のうまみのもとでもあり、薄味の食事に慣れないうちは、文字どおり味けなく感じることがあるからです。

減塩の第一歩として、まず、気づかないうちに塩分のとりすぎが日常化していないか、次ページの「塩分とりすぎチェックシート」で、自分の食生活を見直しましょう。

塩分とりすぎチェックシート

自分に当てはまるものにチェックを入れてみましょう。当てはまる項目が３つ以上あれば、塩分とりすぎの疑いがあります。

- ☐ 外食（市販の弁当を含む）が多い
- ☐ １日２杯以上、みそ汁やスープを飲む
- ☐ 丼物をよく食べる
- ☐ ラーメンやうどんなどのめん類の汁は全部飲む
- ☐ 白飯に漬物、佃煮などは欠かせない
- ☐ 塩ザケやアジの開きなどの干物をよく食べる
- ☐ ハム、練り製品、チーズなどの加工品をよく食べる
- ☐ スナック菓子やせんべいが好きでよく食べる
- ☐ 何にでもしょうゆや塩、ソースをかける
- ☐ 家庭の食事の味つけは、外食より濃いめだと思う

　また、毎日の食事で、自分がよく食べる食品の塩分含有量を調べてみましょう。意外な多さに驚くと思います。

　例えば、塩ザケ1食分（約80グラム）には、甘口、辛口で差がありますが、食塩約2～5グラムが含まれており、それだけで1日の塩分量の3分の1を超える可能性があります。

　食品の塩分量は、文部科学省の「食品成分データベース」*で調べられます。また、127ページに塩分の多い要注意食品を示したので、参考にしてください。

（富野康日己）

＊ https://fooddb.mext.go.jp/

G1 G2 G3 G4 G5

Q 77 減塩がうまくいきません。いい方法はありませんか？

①調味料の使いすぎ習慣を改める

まず、料理を一口も食べないうちに、しょうゆや塩、ソースを「かける」クセのある人は、すぐに改めましょう。調味料を小皿に取り、少量を「つけて」食べるようにしたり、1滴ずつ出せるプッシュ式の〝しょうゆさし〟を利用したりして、使う量を減らす工夫をします。また、しょうゆ、ソースなどは食卓に置かないようにしましょう。

②調味料はきちんと計量する

計量スプーン、計量カップ、キッチンスケール（はかり）を用意しましょう。調理するさい、目分量で味つけをする人も多いと思いますが、食事療法では調味料はきちんと計って使いましょう。また、味つけは食材に対する調味料の割合ですから、食材のほうも、重さや容量をきちんと計りたいものです。

③調味料からとる塩分は4グラムとする

塩分はもともとの食材にも含まれているので、1日の塩分摂取量6グラムのうち、味つ

小さじ１杯分（5ミリリットル）の塩分量

食塩	5.9グラム
濃口しょうゆ	0.9グラム
薄口しょうゆ	1.0グラム
減塩しょうゆ（濃口）	0.5グラム
だししょうゆ	0.4グラム
ポン酢しょうゆ（市販品）	0.5グラム
みそ（淡色辛みそ）	0.7グラム
みそ（赤色辛みそ）	0.8グラム
減塩みそ	0.6グラム
だし入りみそ	0.8グラム
マヨネーズ（全卵型）	0.1グラム
トマトケチャップ	0.1グラム
ウスターソース	0.5グラム
中濃ソース	0.3グラム

（文部科学省「食品成分データベース」より作成）

けのための調味料から摂取する塩分は４グラム程度に抑えます。そのために、いろいろな調味料に含まれる塩分量を把握しておくようにしましょう（表参照）。

なお、減塩調味料を使う場合は、ナトリウムの代わりに塩化カリウムを添加していることがあるので、カリウム制限をしている人は注意が必要です。

④塩味以外の味、だし、香りを活用

酸味や辛み、うまみをうまく使いましょう。カツオぶしやこんぶなどでとっただしは、うまみ成分（アミノ酸）が味に深みを出してくれるので、少量の塩分でもおいしく感じることができます。ただし、市販の顆粒だしや固形だしのなかには、塩分の多いものがあるので注意が必要です。酢の酸味やカラシ、トウガラシなどの辛みをアクセントにしたり、シソ、ミツバなどの香味野菜、ニンニク、ショウガ、コショウなどのスパイスの香りで味にメリハリをつけたりするのも効果的です。

（富野康日己）

G1 G2 G3 G4 G5

Q78 塩分の計算法を教えてください。

市販の加工食品を利用するさいは、必ず「栄養成分表示」を見ましょう。２０２０年４月以降に製造された一般向けの加工食品には、表示が義務づけられています（生鮮食品は任意で表示）。１００《グラム》当たりの「エネルギー」「たんぱく質」「脂質」「炭水化物」「食塩相当量」が必ず表示することとされているので、これを見れば食品に含まれる塩分やたんぱく質の量を知ることができます。

なお、２０２０年３月までに製造された加工食品には「食塩相当量」が「ナトリウム」で表示されているものもあります。食塩相当量に換算する式を下に示したので、参考にしてください。

（富野康日己）

栄養成分表示の例

栄養成分表示 100g当たり

エネルギー	400kcal
たんぱく質	25.3g
脂質	37.6g
炭水化物	10g
食塩相当量	1.5g
カルシウム	30mg

エネルギー～食塩相当量は必須項目で、この順で表示することとされている。「カルシウム入り」などとうたう場合はその成分も表示する

ナトリウムから食塩相当量への換算

ナトリウム量（ミリグラム）× 2.54 ÷ 1000= 食塩相当量（グラム）

【例】「ナトリウム 3.5g」と表示されている場合
3500ミリグラム× 2.54 ÷ 1000 ＝ 8.89（グラム）

G1 G2 G3 G4 G5

Q79 主食は、ご飯とパンではどちらがいいですか？

日本で「主食」として扱われる炭水化物のなかには、意外に多くの食塩が含まれているものがあります（表参照）。さらに、パンには、サンドイッチの具材などの塩分も加わります。

したがって、塩分が少ない主食はご飯ということになります。ただし、主食をご飯にすれば安心というわけではありません。塩辛や梅干し、漬物といった「ご飯のお供」や濃い味のおかず、炊き込みご飯などは塩分が多く、減塩には向きません。塩分控えめのおかずといっしょにご飯を食べ、献立全体で塩分量の調整をするようにしましょう。

ご飯と同じように塩分がほとんど含まれていないスパゲティーや生そばも、ゆでるさいに塩を使ったり、パスタソース、汁、つゆに塩分が多かったりするので注意しましょう。

（富野康日己）

主食の塩分含有量＊

ご飯	0グラム
食パン	1.3グラム
ロールパン	1.2グラム
フランスパン	1.6グラム
うどん（生）	2.5グラム
うどん（乾）	4.3グラム
そば（生）	0グラム
そば（乾）	2.2グラム
そうめん	3.8グラム
スパゲティー	0グラム

＊ 100グラム当たり／（文部科学省「食品成分データベース」より作成）

G1 G2 G3 G4 G5

Q 80 玄米が体にいいと聞きますが、食べて大丈夫ですか?

高血糖状態が続くと血液がドロドロになり、腎臓《じんぞう》のなかにある毛細血管が毛糸の玉のようになった糸球体が傷つく原因になります。血糖値の上昇をさけるには、糖質を減らすことです。ご飯類、パンなどの主食も炭水化物（糖質＋食物繊維）なので糖質が多く、血糖値を上げる原因になります。精製されていない玄米や雑穀、全粒粉のパンは、白米や精製された食パンなどより食物繊維の割合が多く、比較的血糖値を上昇させにくいとされています。したがって、米を選ぶなら白米よりは玄米のほうがベターです。

血糖値を上げにくい食品を選ぶには、その食品を食べたあとの血糖値の上昇具合を示したＧＩ（グリセミック・インデックス）値という指標が参考になります。うまく取り入れて、なるべく血糖値を上げないような工夫をしましょう。

（富野康日己）

炭水化物の多い食品の GI 値

白米	84	玄米	56
食パン	91	全粒粉のパン	50
うどん（生）	80	そば（生）	59
もち	85	スパゲティー（ゆで）	65

GI 値が低いほど食後の血糖値が上がりにくいとされる

G1 G2 G3 G4 G5

Q 81

主食を食べるさい血糖値の急上昇を防ぐ方法はないですか？

食後の血糖値の急上昇を抑え、穏やかにするには、食べ物（特に糖質の多い主食など）が、胃腸を通過する速度を遅らせ、ゆっくりにすることです。そのためには、野菜や魚などのおかずを先に食べ、主食は最後に食べるとよいでしょう。

さらに、主食を食物繊維とともに食べると、いっそう効果が上がります。なかでもおすすめは、**ぬめりのある食品**です。

納豆、オクラ、ナメコ、モロヘイヤ、ジュンサイなどのぬめりには、ムチンという水溶性食物繊維が含まれています。これを白飯などの炭水化物といっしょにとると、ぬめりが糖質を包み込み、消化管での吸収を遅らせることができるので、血糖値の急上昇を抑える効果があるのです。このほか、モズクやコンブなどの海藻類、コンニャクに含まれる水溶性食物繊維にも、同様の効果があります。

一方、ナガイモやサトイモにもぬめりがありますが、糖質も多いので、主食と組み合わせるには不向きです。

（富野康日己）

G1 G2 G3 G4 G5

Q82 塩分が多い要注意の食品はなんですか？

まず、要注意の食品は、しょうゆやみそなどの調味料（122ジペー参照）と、漬物、佃煮などの保存食品です。いかにも塩辛いものなので比較的注意しやすいといえます。

一見、塩分量が少なそうで意外と多い**「隠れ塩分」食品**は要注意です。**ハムなどの肉加工品、かまぼこ、ちくわ、はんぺんなどの練り製品、干物《ひもの》**などの加工食品に多いので、「栄養成分表示」（123ジペー）をよく確認しましょう。

1食当たりの塩分量（例）

梅干し（大24グラム）	1個	4.4グラム
こんぶの佃煮（1食分）	10グラム	0.7グラム
ロースハム（2枚）	40グラム	0.9グラム
かまぼこ（厚さ11ミリ）	3切れ	1.0グラム
焼きちくわ	1本	1.6グラム
あじの干物中1枚	70グラム	1.4グラム
かけうどん	1杯	5～6グラム

（文部科学省「食品成分データベース」ほかより作成）

うどんやパン、スパゲティーなど、主食代わりに食べるものは、量や食べ方によって塩分量が多くなります。主食代わりにまとまった量を食べると1食当たりの塩分量は増えるうえ、スパゲティーのようにゆでるさいに塩を加えたり、塩分の多いつゆや具材と食べたりすれば、結果として塩分量が多くなります。特にめん類の汁は塩分が多いので、飲まないようにしましょう。

（富野康日己）

G1 G2 G3 G4 G5

Q83 外食ではどんな献立に注意すべきですか？

　外食は炭水化物が多い高カロリーのメニューが多く、栄養も偏りがちで、自分の思うような味つけの調整ができないことがほとんどです。「なるべく自分で調整できるもの」と考えると、めん類、丼物《どんぶりもの》などの単品メニューより、**主食・主菜・副菜・汁物が揃い、使われている食材の種類が多い定食を選ぶほうがベター**です。例えば、和定食は意外と塩分が多いものですが、漬物やみそ汁など特に塩分の多いものを残すなどすれば、ある程度の塩分調整が可能です。ご飯は注文するさいに少なめにしてもらうか、茶碗1杯分より多い分は残しましょう。主菜は、高カロリーの揚げ物よりも、刺身や焼き魚を選ぶようにしましょう。

　丼、めん類など単品メニューを食べるときは、おひたしやサラダなど野菜を使ったサイドメニューを1品頼みましょう。そして、ご飯やめんは3分の1〜4分の1を残し、めん類の汁は飲まずに残しましょう。

（富野康日己）

外食の心得5ヵ条

1. 単品より定食
2. 食材数の多いものを選択
3. 揚げ物はさける
4. 単品なら野菜の1品をつける
5. 茶碗1杯を超えるご飯は残す

G1 G2 G3 G4 G5

1日の適正エネルギー摂取量の計算方法

1日の適正エネルギー摂取量（キロカロリー）＝
標準体重（キロ）×推奨摂取エネルギー25～35（キロカロリー）

【例】標準体重が65キロ、推奨摂取エネルギー30キロカロリーの場合：65 × 30 ＝ 1950キロカロリー

＊標準体重（キロ）＝身長（メートル）×身長（メートル）× 22（BMI）

Q 84 1日にカロリーはどのくらいとっていいのですか？

慢性腎臓《じんぞう》病と診断されたら、BMI[*1]（肥満指数）25を超えている人は、すぐに減量に取り組みましょう。まず、自分が1日にどれくらいのエネルギーをとっていいか（適正エネルギー摂取量）を計算しておきます。1日のエネルギー摂取量は、BMIを22としたときの標準体重をもとに計算します。体重当たりのエネルギー摂取量には25～35キロカロリーと幅がありますが、これは性別や年齢、活動量、糖尿病の有無などによって変わります。くわしくは管理栄養士[*2]に決めてもらいましょう。

また、自分が食べたものを「食事日記」として記録しておくことをおすすめします。自分で塩分やエネルギーのとりすぎを把握するためにも、医師や管理栄養士に治療の相談をするさいにも役立ちます。

（富野康日己）

＊1 BMI＝体重（キロ）÷［身長（メートル）×身長（メートル）］

＊2 かかりつけの病院に所属の管理栄養士がいる場合は病院に相談。患者会で管理栄養士による無料相談会を行っている場合もある。

G1 G2 G3 G4 G5

Q85 カロリー制限がうまくいきません。いい方法は？

カロリー制限食をさみしいものにしないコツは、ボリュームです。食事療法の重要性を頭で理解していても、皿や食卓の上がすきまだらけでは、おなかいっぱい食べられないストレスばかりがたまってしまいます。ボリュームを上げ、食事を「カサ増し」する工夫をしましょう。

料理のカサ増しには、海藻類やキノコ類、コンニャクなど、成分のほとんどが水でできている食品が便利です。ほぼカロリーゼロで、たくさん食べても太る心配はありません。また、これらに含まれる食物繊維には血糖値を抑えたり、コレステロールを排出したり、便通を整えたりする効果も期待できます。

コンニャクはステーキのように調理してボリューム感を出したり、市販されている粒コンニャクをご飯にまぜて炊くことでカサ増ししたりすることができます。海藻やキノコは、炒め物や汁物に加えればボリュームアップできます。豆腐やおからをひき肉にまぜ、餃子やハンバーグに利用するのもいいでしょう。

また、彩りや季節感のある食材を使い、目で楽しむ工夫も大切です。（富野康日己）

G1 G2 G3 G4 G5

Q86 油脂のとり方で注意はありますか？

悪玉（LDL）コレステロール値を下げる働きのある油脂をとりましょう。悪玉コレステロールが血管壁に付着して動脈硬化を起こし、血流が悪くなって、腎《じん》機能の低下を招くからです。脂質異常症（血液中の悪玉コレステロールや中性脂肪が多い病気）の人は特に注意してください。

魚の油に多く含まれるオメガ3系不飽和脂肪酸の仲間であるDHA《ディーエイチエー》（ドコサヘキサエン酸）やEPA《イーピーエー》（エイコサペンタエン酸）、α《アルファ》-リノレン酸は、悪玉コレステロールを減らす働きが強いうえ、中性脂肪を減らし、脳の働きを正常に保つ働きもあるとされています。魚を主菜にした食事を週に2〜4回は取り入れて、悪玉コレステロールを減らしましょう。食用油は、α-リノレン酸の多いエゴマ油やアマニ油を毎日少量（α-リノレン酸の推奨摂取量は1日約2グラム＝アマニ油・エゴマ油で約3.5グラム分）とるようにすると、さらにいいでしょう。なお、大豆油やコーン油、サラダ油に多く含まれるリノール酸は、大量に摂取すると善玉（HDL）コレステロールを減らす働きがあるとされているので、ほどほどの量にとどめましょう。

（富野康日己）

＊α－リノレン酸は熱に弱いので、エゴマ油やアマニ油は加熱せずに使う。

G1 G2 G3 G4 G5

Q 87
脂質異常がなかなかよくなりません。どうすればいいですか？

脂質異常症の改善には、食物繊維をとりましょう。厚生労働省「日本人の食事摂取基準2015年版」によれば、1日に男性で20グラム、女性で18グラムをとることが目標とされています。食物繊維には不溶性と水溶性があり、どちらも体には吸収されませんが、脂質異常症を改善する効果があります。

不溶性の食物繊維はゴボウや豆類、キノコ類に多く、水分を含むと膨らんで便のカサを増やしてコレステロールを吸着し、腸の蠕動《ぜんどう》運動を活発にして、体外に排出する働きがあります。一方、海藻類や納豆、ナメコなどに多く含まれる水溶性食物繊維には、食品の水分をゲル状（ゼリーのような状態）にする働きがあり、コレステロールの吸収を抑制したり、血糖値の急上昇を抑えたりする効果があります。

（富野康日己）

食物繊維の多い食品

インゲンマメ（ゆで）	13.6グラム
おから	11.5グラム
ゴボウ（ゆで）	6.1グラム
ワカメ	5.8グラム
納豆	6.7グラム
ナメコ（生）	3.4グラム

＊可食部100グラム当たり／総食物繊維量（文部科学省「食品成分データベース」より作成）

G1 G2 G3 G4 G5

Q88 動脈硬化が心配です。何を食べればいいですか？

悪玉（LDL）コレステロールが酸化（活性酸素と結びつくこと）すると、より強力な「酸化LDL」に変化し、動脈硬化が進みます。酸化を食い止める抗酸化物質を、食べ物から取り入れましょう。食べ物から取り入れられる主な抗酸化物質には、ポリフェノールとカロテノイドがあります。

ポリフェノールには、アントシアニン（プルーン、ブルーベリーなど）、イソフラボンやサポニン（大豆）、セサミノール（ゴマ）、ルチン（そば）、カテキン（緑茶）、タンニン（紅茶・ウーロン茶などの発酵茶）などがあります。

カロテノイドには、β《ベータ》カロテンやリコピン（ブロッコリー、トマトなどの緑黄色野菜）アスタキサンチン（エビ・カニなどの甲殻類、サケ、マスなどの魚類）などがあります。

このほか、ナッツ類や魚に含まれるビタミンEと、野菜や果物に含まれるビタミンCにも抗酸化作用があります。また、タマネギやニンニクに含まれる独特のにおいのもとである硫黄《いおう》化合物（硫化アリル）は、脂質と結びつくとビタミンEと同様の抗酸化作用を発揮するとされています。

（富野康日己）

G1 G2 G3 G4 G5

Q 89 高尿酸血症といわれています。腎臓を守るため注意すべきことは？

高尿酸血症は、プリン体というたんぱく質を分解するときにできる尿酸が血液中にたまる状態で、放置すれば腎臓《じんぞう》にも悪影響を及ぼします（47ページ参照）。

①プリン体の多い食品をさける……プリン体には体内で合成されるものと、食品に含まれているもの（肉や魚の内臓、魚の白子に多い）があります。後者のほとんどは腸で分解されますが、過剰摂取は控えましょう。内臓以外の肉（ロース肉、ヒレ肉など）、卵、牛乳、チーズは低プリン体食品です。

②プリン体を減らす調理法で調理する……プリン体は水に溶けやすいので、ゆでる、煮るなどして減らします。ゆで汁は飲まないようにしましょう。

③アルカリ性食品をとる……野菜、海藻類をとると尿がアルカリ性に傾き、尿酸の結晶を溶かして尿路結石を予防します。

③アルコール量を減らす……アルコールに含まれるエタノールは体内でのプリン体合成を増やす働きがあるので、飲酒は適度にとどめましょう。

（富野康日己）

G1 G2 G3 G4 G5

Q90 腎機能の強化のためにとるべき食品はありますか？

慢性腎臓《じんぞう》病患者が２５００万人以上いるアメリカでは、病気の進行を防ぐ効果が期待できるとして、８つの食材（タマネギ、生ニンニク、アブラナ科の野菜、北の海でとれる魚、卵白、リンゴ、オリーブ油、クランベリー）が推奨されています。これらの食品には悪玉（ＬＤＬ）コレステロールの酸化を防ぐ抗酸化作用（１３３㌻）や、悪玉コレステロールを減らす作用、血栓（血液の塊）を溶かす作用があり、血管が傷つくのを防ぐことで、腎機能の低下を抑えてくれます。

タマネギ、ニンニクに含まれる硫黄《いおう》化合物（硫化アリル）は、肉や魚などの脂質と結合して抗酸化作用を発揮するといわれています。タマネギにはケルセチン（血液中の糖や中性脂肪を減らす）やグルタチオン（活性酸素を除去し、インスリンの産生を促すことで糖の消費を活性化して血流を促す）といった血液サラサラ成分も豊富です。

食物繊維やβ《ベータ》カロテンなどが豊富なキャベツ、ブロッコリーなどアブラナ科の野菜に特有の辛み成分（イソチオシアネート）には、血液をサラサラにして血栓を予防する働きがあります。ビタミンＣが豊富なリンゴにも抗酸化作用があり、動脈硬化や脂質異常症の改善に効果が期待できます。

サケ、ニシン、イワシなど北の海でとれる魚には、悪玉コレステロールを減らす効果のあるＤＨＡ《ディーエイチエー》（ドコサヘキサエン酸）やＥＰＡ《イーピーエー》（エイコサペンタエン酸）などオメガ３系の不飽和脂肪酸（１３１ページ）が多く含まれています。

オリーブ油に含まれるポリフェノールやビタミンＥにも抗酸化作用があります。また、オレイン酸は酸化しにくいという特徴があり、善玉（ＨＤＬ）コレステロールは減らさずに悪玉コレステロールを減らす効果があります。油はカロリーが高いのですが、適量をとれば、動脈硬化の予防に役立ちます。

クランベリーの赤い色素成分プロアントシアニジンもポリフェノールの一種で、ビタミンＣの20倍、ビタミンＥの50倍という強い抗酸化作用があるといわれています。

卵白は卵黄に比べて脂肪やコレステロールがほとんどなく、カリウムや炭水化物を含まない上質なたんぱく質源です。

これらの食品を無理のない範囲で取り入れ、腎機能の低下を防ぎましょう。ただし、ステージＧ３以上では、カリウムやたんぱく質に制限があるので、必ず管理栄養士の食事指導に従ってください。

（富野康日己）

G1 G2 G3 G4 G5

Q91 酢は健康にいいと聞きますが、とったほうがいいですか？

近年の研究で、酢にはさまざまな健康効果があることが明らかになっています。例えば、酢の主成分である酢酸《さくさん》には、脂質の合成を抑えて燃焼を促し、内臓脂肪を減少させる効果があります。**血管拡張作用**のほか、**血栓（血液の塊）**をできにくくしたり、**赤血球の変形能（毛細血管などを通り抜けるために自らの形を変える能力）**を高めたりといった働きもあり、**動脈硬化や高血圧の改善**も期待できます。少量の酢を1〜2ヵ月飲みつづけたら、血圧が10〜15ミリ低下したり、内臓脂肪が減ったりしたという報告もあります。酢をカルシウムを含む食材といっしょにとると、カルシウムの吸収がよくなり、**骨粗鬆症《こつそしょう》の予防**に役立ちます。糖の吸収を穏やかにして**食後の血糖値の上昇を抑え**、糖尿病の予防も期待できます。ほかにも、**食欲増進や疲労回復、免疫力アップ、老化防止**など、酢には多くの健康効果があります。

また、料理に酢を加えてアクセントをつけることで、減塩にも役立ちます。**1日にとる酢の量は、大さじ1杯（15ミリリットル）が目安です。**

（富野康日己）

Q92 肉はどう選べばいいですか？

たんぱく質の制限がないうちは、肉から良質なたんぱく質をとりたいところです。しかし、肉の脂肪はコレステロールや中性脂肪を増やすので、とりすぎてはいけません。肉を食べるさいは、種類や産地、部位と、調理方法がポイントになります。

①種類・産地・部位…一般によく食べられている肉をおおまかに分けると、脂肪が少なく低カロリーなものから順に、鶏→豚→牛となります。

同じ牛でも産地により脂肪量が異なり、サシ（網の目状に入る脂肪）の多い国産牛より赤身の多い輸入牛のほうが低脂肪です。

それぞれの部位で見ると、鶏のなかで最も低カロリーなのは〝ささみ〟です。また、モモ肉よりもムネ肉、皮つきよりも皮なしのほうが脂質は少なくなります。豚や牛は脂肪の多いバラやロースよりもヒレやモモ肉のほうが低カロリーです。

②調理方法……揚げたり、フライパンで焼いたりするよりも、ゆでる、蒸す、網焼きにするほうが、脂肪分を落とすことができます。また、下ごしらえのさいに、脂身をそぎ落としておくのもいいでしょう。

（富野康日己）

G1 G2 G3 G4 G5

Q93 食べる順番は気にしなくていいですか？

食後に血糖値が急上昇すると、すい臓はインスリンというホルモンを出して血糖値を下げようとしますが、これをくり返すとすい臓が疲れ、糖尿病を招きます。糖尿病は腎《じん》機能低下の原因となるので、食後血糖値の急上昇はさけなくてはなりません。

食後血糖値の急上昇を防止する最重要ポイントは、糖質が体に吸収されるスピードを遅くする（胃のなかで食べ物をゆっくり通過させる）」ことです。そのためには**糖質が少ないものを先に、多いものを後に食べる**と効果的です。具体的には①食物繊維の多い副菜（サラダ、酢の物、野菜、海藻、キノコ類。野菜でも糖質の多いイモ類やカボチャなどは最後に食べる）、②たんぱく質の多い主菜（肉、魚、豆腐など）、③炭水化物の多い主食（ご飯、パン、めん類など）、という順番になります。野菜の食物繊維、魚や肉のたんぱく質、脂質が小腸を刺激するとＧＬＰ《ジーエルピー》‐１《ワン》という物質（インクレチンというホルモンの一種）が分泌《ぶんぴつ》され、胃の動きがゆっくりになるとともに血糖値を下げるインスリンの分泌を促し、さらに食欲を抑える効果もあることがわかっています。そのためＧＬＰ‐１は、糖尿病の治療薬としても用いられています。

（富野康日己）

Q 94 食べ方で注意すべきことはないですか？

腎《じん》機能の低下を招く肥満、糖尿病など生活習慣病を予防・改善するのに一番いい食べ方は、「よくかむこと」です。最低でも20回は、かみましょう。目的は、早食いをしないためです。忙しいからと、5～10分で食べ物を汁物や飲み物で流し込むような食べ方をしている人は、すぐに改めましょう。早食いがいけない理由は、脳にあります。私たちは、脳の満腹中枢から送られる信号によって満腹を感じますが、食事を始めてから満腹中枢が血糖値の上昇を感知するまでに約15～30分はかかるといわれています。早食いすると、「満腹だ」という信号が脳から届くまでに食べすぎてしまうのです。食事は最低15分以上かけ、意識してゆっくり食べれば、早めに満腹感が得られて食べすぎを防げます。そのためにも「よくかむこと」が重要です。

ゆっくり食べるためには1口を少なめにし、飲み込むまで次の食べ物を口に入れないようにします。かみごたえのある食材を選んだり、切り方を変えたり（例えばキャベツなら千切りよりざく切り）するのもいいでしょう。食べるのに手間がかかるものを選んだり、利き手でないほうの手で食べたりという方法もあります。（富野康日己）

G1 G2 G3 G4 G5

Q95 食材の選び方で注意点はありませんか？

腎臓《じんぞう》病の食事療法で問題になるのは、塩分やたんぱく質などをどう減らすかですが、ただやみくもに全体量を減らすと必要なエネルギー量や、ビタミン、ミネラルなどの栄養素が足りなくなる恐れもあります。

食材の知識を持ち、同じジャンルの食材で同じ量でも、塩分やたんぱく質、脂質を、より減らせるほうを選びましょう。一例をあげたので、参考にしてください。

（富野康日己）

脂質・たんぱく質・塩分などの比較

輸入牛＞和牛	輸入牛のほうが脂肪が少ない
白身魚＞赤身魚	白身魚のほうが低カロリー、低たんぱく ＊100グラム当たりのたんぱく質量 【赤身魚】 カツオ25.8グラム クロマグロ26.4グラム 【白身魚】 マダラ17.6グラム マダイ20.6グラム
そば＞うどん	そばのほうが塩分が少なく、食後血糖値の上昇が緩やか （ただしそばのほうがたんぱく質が多いので、制限している場合は注意）
自家製だし＞市販のだし	市販のだしには塩分が多いものがある （栄養成分表示を確認すること）
絹ごし豆腐＞木綿豆腐	絹ごしのほうが水分が多く、同じ重量ならたんぱく質が少ない
カッテージチーズ＞プロセスチーズ	プロセスチーズのほうがたんぱく質が多い【カッテージチーズ】13.3グラム 【プロセスチーズ】22.7グラム

（文部科学省「食品データベース」より作成）

G1 G2 G3 G4 G5

Q96 1日2食とか1日1食にしたほうが、カロリーも塩分も減らせていいのではないですか？

慢性腎臓《じんぞう》病の危険因子である肥満や糖尿病などの生活習慣病の予防・改善には、1日3食、腹八分目で、規則正しく食べるのが基本です。

食事の回数を減らすと、食事と食事の間隔があきます。すると体は一種の飢餓《きが》状態になり、次の食事でとったエネルギーをできるだけ蓄えて脂肪に変えようとします。強い空腹感からドカ食いしてしまう恐れもあり、これをくり返すうちに肥満につながります。血糖値も急上昇して糖尿病の原因になるばかりか、血液がドロドロになり、腎臓にも負担をかけてしまいます。朝食抜きも同じことで、夕食から次の昼食まで長い時間があきすぎるのが問題です。

特に朝食は、体と脳を目覚めさせるために必要不可欠です。できれば3～4種類の食品を朝食として食べたいところです。それが無理なら、たとえ時間がなくても、温かい牛乳、野菜ジュース、おにぎり1個、バナナ1本など、何かは食べるようにしましょう。

（富野康日己）

G1 G2 G3 G4 G5

Q 97 飲み物は何を飲めばいいですか？

飲み物で用心しなければならないのは、まず、糖分です。コーヒーなどに入れる砂糖は吸収が早く血糖値の急上昇を招くので、控えめにしましょう。また、スポーツドリンクも要注意です。スポーツドリンクに含まれる糖分は意外に多く、500ミリリットル《ミリリットル》のペットボトル1本に20～30グラム《グラム》もの糖分が含まれているものもあります。常飲すると糖分のせいでさらにのどが渇き、もっと飲みたくなる悪循環に陥り、健康な人でも高血糖になって、最悪の場合、急性の糖尿病（ペットボトル症候群）になってしまいます。スポーツドリンクは、運動でエネルギーを使ったあとにだけ飲みましょう。

甘くない飲み物でおすすめなのは、お茶です。お茶にはいろいろな種類がありますが、**血糖値を下げる作用のある緑茶や番茶、グアバ茶、ギムネマ茶、バナバ茶、桑の葉茶などのお茶を選ぶといいでしょう。**ただし、緑茶やコーヒーなどに含まれるタンニンは食べ物の鉄分と結合する性質があり、貧血が心配な人は、鉄分不足にならないよう注意が必要です。食事から30分～1時間後に飲めば問題ないので、緑茶やコーヒーは食後時間を置いてから、適量を楽しみましょう。

（富野康日己）

G1 G2 G3 G4 G5

Q98 お菓子や果物は食べても大丈夫ですか？

間食はできるだけとらないほうがいいですが、それがストレスになってやけ食いしてしまっては逆効果です。食べ方のルールを決めて楽しむようにしましょう。

①食べる量を決める……間食のエネルギー量は多くても1日150～200キロカロリーまでとしましょう。1回に食べる量の少ないキャンディーやガムも、カロリーを計算して個数を決めておきます。

②時間と頻度を決める……代謝の落ちる夜間はさけ、昼間の午後3時など、時間を決め、せいぜい週に1～3回までとしましょう。

③なるべく低脂肪、低カロリーな食品を選ぶ……一般に、乳製品を使う洋菓子より和菓子のほうが低脂肪、低カロリーです。水分が多いゼリーや寒天も低カロリー、低脂肪です。せんべい類は塩分が多いので注意しましょう。果物は食物繊維、ビタミンが豊富ですが、バナナ、キウイフルーツなどはカリウムも多いので、高カリウム血症で制限している人は注意してください。また、果物の甘み成分である果糖を大量にとると、中性脂肪が増えるという報告もあります。

（富野康日己）

G1 G2 G3 G4 G5

Q 99
食事療法がうまくいきません。どうすればいいですか。

食事療法は山登りと同じで、一気に頂上には立てません。例えば、昨日まで1日10グラム以上の塩分をとっていた人が、今日からいきなり1日6グラムの塩分制限をするのはとても難しいことです。大きく味つけの変わった食事にイライラしたり、食欲が落ちたりするかもしれません。挫折《ざせつ》すれば心理的なダメージも大きく、自暴自棄になりかねません。そこで、小さな成功体験を一つずつ積み上げていくことにしましょう。

塩分を1日6グラムにするならば、まずは1日8グラムを目標として、2週間続けてみましょう。最初は薄味でおいしさを感じられないかもしれませんが、2週間の間に工夫を重ねるうちに、徐々に慣れて、自分なりのペースができてきます。それが達成できたら大いに自分をほめ、次の2週間は7グラム、次は6グラム、というように、慣らしながら進めていきましょう。エネルギー量やアルコール量の制限も同様です。

慢性腎臓病の食事療法は、10年20年と、長く続けなければなりません。一気に完璧を求めず、コツコツと頑張りましょう。

（富野康日己）

Q100 外食ではどんなことに注意すればいいですか？

濃い味に慣れないよう外食はなるべく減らしたほうがいいですが、自分の意志で外食をするなら、めん類、丼物《どんぶり》などの単品メニューよりも使われている食材の種類が多い定食を選ぶ、揚げ物はさけるなど、選択の余地はいろいろあります（128ページ参照）。

その店がチェーン店であれば、栄養成分をインターネット上で公開している場合がありますす。予定がわかっていれば、あらかじめ調べておくといいでしょう。また、店によっては減塩調理を頼めることもあります。

G3までの人で、仕事などのつきあいでの外食なら、栄養バランスを1日単位で考えるのも一つの方法です。自分で気をつけていても、一度の外食で塩分などが摂取量を超えたら（超える可能性があるなら）、その前後の食事で調整するのです。お祝い事など特別な行事でかなり超えた場合は、2～3日かけてもとどおりに戻していきます。

あるいは、例えば月に1回程度、制限を少し緩めて外食するのを楽しみとして、毎日の食事制限を厳格に頑張るというやり方もあるのではないでしょうか。その場合は医師や管理栄養士に相談のうえ、頻度やメニューを決めましょう。

（富野康日己）

G1 G2 G3 G4 G5

Q101 たんぱく質も制限しないといけないのですか？

食べ物から取り入れたたんぱく質が体内で利用されて生じた老廃物（尿素、クレアチニンなど）を、きれいにろ過して体外へ排出しているのが腎臓《じんぞう》です。腎機能がある程度以下に低下するとろ過が追いつかず、さまざまな障害が起こるので、たんぱく質を制限するのです。たんぱく質の制限は、処理場の能力以上のゴミが増えつづけて町中にゴミがあふれないよう、ゴミを減量するのと似ています。かまわずゴミを増やしつづければ、処理場が壊れて機能しなくなるかもしれません。たんぱく質の制限も同じで、腎機能を少しでも長く維持していくために行われる治療法です。

慢性腎臓病で自覚症状が出てくるステージG3になると、たんぱく質が制限されるようになります。**ステージG3b以上では、標準体重1キロ当たり1日0・6〜0・8グラムです。これは、標準体重が70キロの人なら42〜56グラムとなります。**

たんぱく質10グラムを含む食品の量は、ゆで卵で1・5個、焼きザケの薄切りで1枚、食パン6枚切りでは2枚に満たない量なので、かなり厳しく感じられると思います（次ページの図参照）。

しかし、たんぱく質は少なすぎてもいけません。少なすぎるとエネルギーが不足し、体は、脂肪や筋肉を分解してエネルギーとして使いはじめます。その結果、たんぱく質をとりすぎたときと同じように体内で老廃物が増え、腎臓に負担がかかります。また、その過程で血液中のカリウムも増えてしまいます。

一方で、たんぱく質の「質」も大切です。体内で合成できない必須《ひっす》アミノ酸をバランスよく含む、良質のたんぱく質をとる必要があるのです。

このようにバランスが難しいたんぱく質制限は、医師や管理栄養士の指導をよく聞いたうえで、自分のライフスタイルに合った方法を模索していく必要があります。

（富野康日己）

たんぱく質 10グラムを含む食品の量

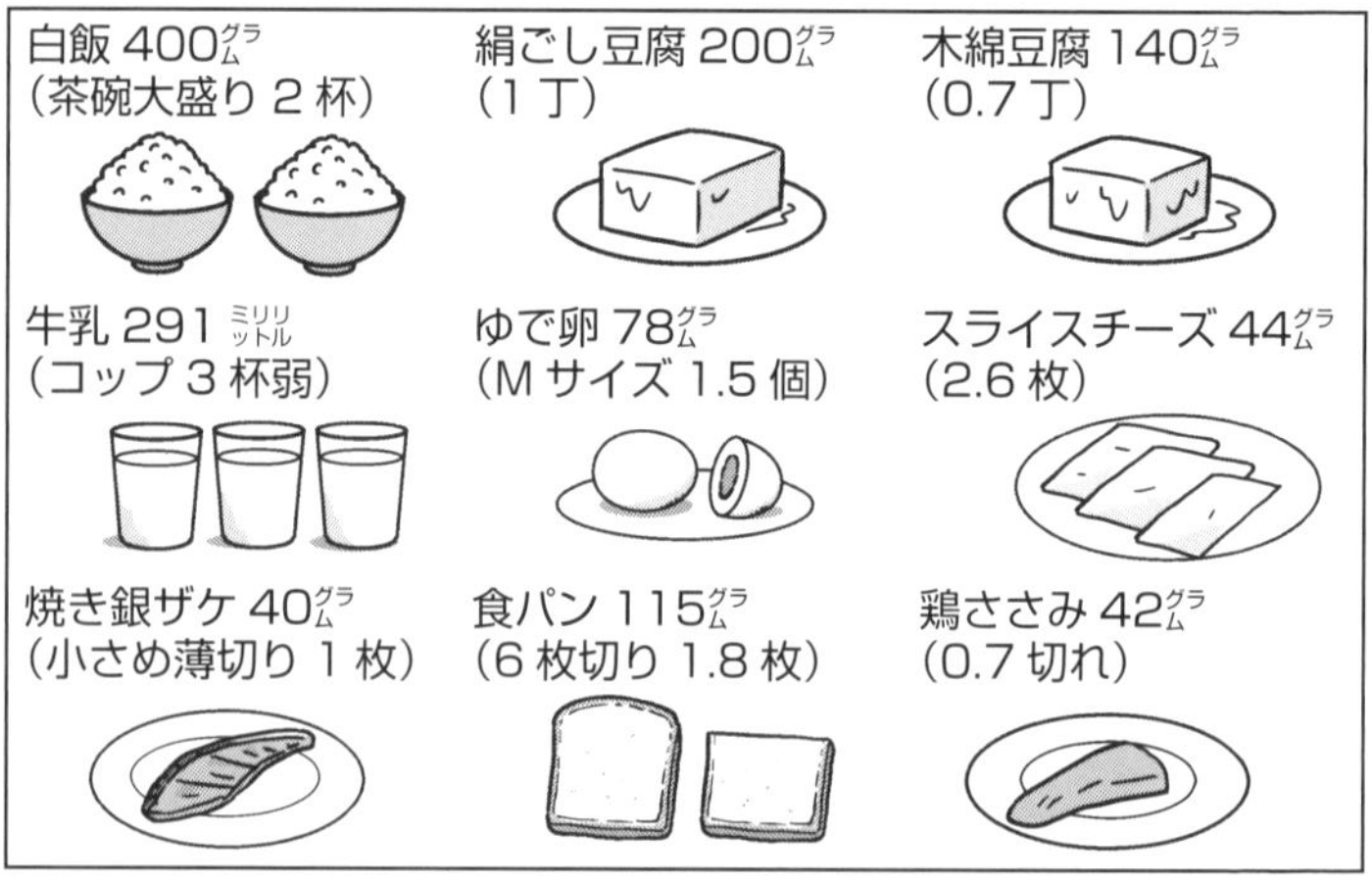

（文部科学省「食品成分データベース」ほかより作成）

G1 G2 G3 G4 G5

Q 102 たんぱく質を制限するとカロリー不足になります。防ぎ方はありますか？

たんぱく質を制限して不足したエネルギーは、脂質や糖質で補います。ただし、これらをとりすぎると動脈硬化や高血圧の原因にもなり、そこから腎《じん》機能の低下につながることもあります。糖尿病の人は、糖質のとりすぎにも注意が必要です。

たんぱく質制限によるカロリー不足には、腎臓病の食事療法用に作られた、低たんぱくの「治療用特殊食品」を活用するのもいいでしょう。含まれるたんぱく質を低く調整した米、パン、めん類や、ハンバーグなどのおかず、クッキー、チョコレートといったおやつ類も市販されています。たんぱく質制限をしている人が手軽にカロリー不足を補える油として病院食でも活用されているのがMCT《エムシーティー》（Medium《ミディアム》 Chain《チエーン》 Triglyceride《トリグリセライド》＝中鎖脂肪酸）オイルです。中鎖脂肪酸という小さな分子構造を持ち、ほかの油に比べて消化・吸収が早く体脂肪として蓄積されにくい特徴があります。無味無臭で、サラダやみそ汁などに少量加えれば、風味を損なわずカロリーを増やすことができ、スーパーで入手できます。

（富野康日己）

G3 G4 G5

Q 103 カリウムの制限はどうすればいいですか？

カリウムは、人体になくてはならないミネラルの一種です。しかし、腎《じん》機能が低下するとカリウムの排出が十分できなくなるため、ステージG3以上になると、食べ物からとるカリウムをなるべく減らすことが必要になります。

まず、カリウムが多く含まれる食品を把握しておきましょう（下の表、次ページの図参照）。**カリウムは野菜、イモ類、果物や、ナッツ類、赤身の肉などに多く含まれています。**

これらの食品には、ビタミンやミネラル（無機栄養素）、食物繊維など、大切な栄養素が多く含まれているので、全く食べないわけにはいきません。そこで、調理のしかたでカリウムを減らしましょう。**カリウムは水に溶ける性質があります。そこで、水にさらしたり、ゆでこぼしたり（ゆで汁を捨てる）すると、ほぼ半減させることができます**（下の表参照）。

生・ゆで、焼き・ゆでのカリウムの比較

食品名	生	ゆで	食品名	焼き	ゆで
カリフラワー	410	**220**	牛モモ	350	**120**
ブロッコリー	360	**180**	牛リブロース	200	**75**
キャベツ	200	**92**	豚モモ	450	**200**
ハクサイ	220	**160**	豚ロース脂身つき	400	**180**
ダイコン	230	**210**	鶏モモ皮つき	390	**210**
コマツナ	500	**140**	鶏ささみ	480	**350**

（可食部100グラム当たり／単位：ミリグラム）（文部科学省「日本食品標準成分表2015年版（七訂）」をもとに作成）

カリウムの多い主な食品

切干大根（乾）	3500	レーズン	740	生ハム	470
切干大根（ゆで）	62	アボカド	720	豚ヒレ肉（生）	430
枝豆（ゆで）	490	バナナ	360	カモ（生）	400
ホウレンソウ（ゆで）	490	納豆（糸引き）	660	煮干し（乾）	1200
リーフレタス（生）	490	大豆（乾）	1900	アユ（焼き）	510
カボチャ（ゆで）	430	大豆（ゆで）	530	マダイ（生）	440
タケノコ（ゆで）	470	きなこ	2000	スルメ	1100
サトイモ（水煮）	560	アーモンド（乾）	760	ホヤ（生）	570
ヤマトイモ（生）	590	ピーナッツ（乾）	740	ホタテ貝柱	380

＊乾物は水分量が少ないため相対的に含有量が多くなる。（可食部100グラム当たり／単位：ミリグラム）（文部科学省「食品成分データベース」ほかより作成）

さらに、食品に含まれるＡＧＥ（終末糖化産物）という物質は、焼いたり揚げたりといった高温加熱調理をすると増え、ゆでたり蒸したりといった比較的低温の調理ではあまり増加しないことがわかっています。ＡＧＥが体内に取り込まれると、毛細血管が炎症を起こす原因になりますが、炎症が腎臓の糸球体で起これば、糸球体のろ過機能が低下してしまいます。

ＡＧＥは高血糖と関係しており、糖尿病性腎症を招く原因にもなるので、血糖値の高い人は、ゆで料理でＡＧＥ減らしを心がけましょう。

そのほか、減塩調味料のなかには、塩化ナトリウム（食塩の主成分）を塩化カリウムに置き換えているものがあります。うっかりカリウムをとりすぎないよう、「塩化カリウム不使用」と表示されているものを選びましょう。

（富野康日己）

G3 G4 G5

Q104 リンの制限が難しいです。どうやればいいですか？

リンはカルシウムとともに骨の主要な成分となったり、神経や筋肉の働きを正常に保ったりする作用を持つ重要なミネラルです。しかし、腎《じん》機能が低下してリンを十分に排泄《はいせつ》できなくなると、高リン血症（51ページ参照）や骨粗鬆症《こつそしょう》の原因となります。

リンが多く含まれる食品には、加工食品やインスタント食品、ファストフードなどがあります。ハムやソーセージの食感をよくしたり、マーガリンなどが分離しないよう乳化させたりする目的で、製造時に食品添加物としてリン酸塩という物質が加えられているからです。食品添加物のリンは、天然の食材に含まれるリンよりも腸から吸収されやすいため、まずはこのような加工品を減らしましょう。さらに、食材を水にさらしたり、ゆでこぼしたりすると、リンを減らすことができます。

リンはたんぱく質の多い食材（肉、魚、卵、乳製品、豆類など）に多く含まれています。たんぱく質を減らせばリンも減らせますが、食事だけでバランスを取るのが難しい場合は、リンの排泄を促す薬を用います。

（富野康日己）

G1 G2 G3 G4 G5

Q105 水分摂取で気をつけることはなんですか？

Ｇ５になると腎臓《じんぞう》の糸球体のろ過機能が低下し、水分調節がうまくできなくなるため、尿量が減少し（１日４００ミリリットル《ミリリットル》以下の乏尿、１００ミリリットル《ミリリットル》以下の無尿）、水分制限が必要になります。なお、Ｇ４でも尿量が減少していれば水分制限を行う場合があります。

血液透析を受けている人は、最も厳格な水分制限が必要です。尿の排泄《はいせつ》がほとんどなく、体内の水分量がそのまま体重の増減につながるため、毎日体重を量り、ドライウエイト（血液透析で体のなかから余分な水分を取り除いたときの体重。体の水分量は約60％に抑える）から大きな増減がないように、水分量を調整する必要があるのです。

透析の頻度にもよりますが、一般に、次の透析までの間の体重増加は、ドライウエイトの３～５％くらいに収めることが望ましいとされています。

水分をとりすぎるとむくみが出て、重度になれば肺水腫《はいすいしゅ》（肺のなかに水が染み出てたまる状態）や心肥大を起こし、命の危険もあります。透析を受けている人が１日にとれる水分量は、症状や体格を考慮し、体重増加が許容範囲内に収まるように決められます。医師の指示に従って、適切な水分量をとるようにしましょう。

透析導入後の水分バランス例（1日分、尿量0の場合）

摂取する水分量　計1700ミリリットル

摂取する水分量	
食事の水分	1000ミリリットル
代謝水*	約200ミリリットル
飲料水	500ミリリットル

＊食物の栄養素が体内で利用されたときにできる水

＝

排出する水分量　計1700ミリリットル

排出する水分量	
尿量	0ミリリットル
汗や呼吸	約800ミリリットル
便	約200ミリリットル
＋	
透析による除水	700ミリリットル

一方、水分制限をしていると「水分のとりすぎはいけない」と思うあまり、水分を控えすぎて脱水になることがあります。水分は、とりすぎはいけませんが、足りなくても危険です。

脱水症になると血液の流れが悪くなり、腎機能の低下を招くので、腎臓病の人は、どのステージでも脱水には注意が必要です。血液透析を受けている人が脱水になると、血液がドロドロになって、シャント（バスキュラーアクセス。血液の出入口として使う血管の部位）がつまってしまう場合もあります。

暑い季節は汗で失われる水分も多く、脱水症の危険も高まりますが、寒い季節でも暖房の効いた部屋で過ごすと「隠れ脱水」になる危険性もあります。特に高齢者はのどの渇きに気づきにくいので要注意です。だるい、舌が乾く、足がつる、食欲がないなど、脱水症の兆候を見逃さないようにしましょう。（富野康日己）

G1 G2 G3 G4 G5

Q106 慢性腎臓病で食事療法中ですが、糖質制限を試していいですか？

糖質制限ダイエットは、米、パン、めん類などの糖質の多い主食を抜いて、代わりにたんぱく質（肉・魚・大豆製品・卵）、脂質などからエネルギーをとる方法です。慢性腎臓《じんぞう》病でも、ステージG1やG2であればダイエット効果はあるかもしれません。

しかし、G3になると、たんぱく質、塩分が制限された食事療法が必要になります。たんぱく質を制限した分のカロリーは、必要なエネルギー量を計算したうえで、糖質や脂質からとらなければなりません。したがって、**糖質制限ダイエットは不向きです。**

糖質制限でなくても、ダイエットをしようと食事の量を極端に減らすと、私たちの体は、エネルギー不足を補おうとして、筋肉などのたんぱく質を分解してエネルギーとして利用します。すると、たんぱく質を代謝する過程で老廃物が増え、腎臓に負担がかかります。慢性腎臓病の人にとって、腎機能の維持のための肥満の解消は重要です。しかし、ダイエットをする場合は、早急な結果を求めず、医師による食事指導を守りながら、カロリーを調整していく必要があります。

（川村哲也）

G1 G2 G3 G4 G5

Q107 お正月に食べすぎてしまいました。大丈夫でしょうか？

季節行事や冠婚葬祭、パーティーなどでは、日ごろ、きちんとエネルギー制限や減塩を守っている人でも、周囲の楽しい雰囲気に流されたり、人のすすめを断れなかったりすることもあるでしょう。食べすぎてしまったものは、もう取り戻せません。かといって、食事制限を守れなかった後悔から、自暴自棄になって濃い味の食事に戻ってしまったり、逆に、昨日の分を取り戻そうと絶食したりしてはいけません。

食べすぎたら、翌日からの行動が大切です。「翌日から1週間以内でもとに戻す」というルールを決め、食事制限のリズムを取り戻しましょう。また、塩分をとりすぎたからといって、カリウム（塩のナトリウムの排出を促す働きがある）を多く含む果物や野菜をとるのもおすすめできません。腎臓《じんぞう》の排泄《はいせつ》能力が低下していると、カリウムが体内にたまりやすくなるからです。塩分の摂取量を減らすことで調整すべきです。

塩分などを調整できない食事をする場合に備えて、外食メニューや一般的な料理の塩分量、たんぱく質量、カロリーなどを調べておきましょう。

（川村哲也）

第7章

運動療法についての疑問8

Q 108 慢性腎臓病は安静が大事といわれていたのに、運動して大丈夫ですか？

運動療法で腎機能が改善

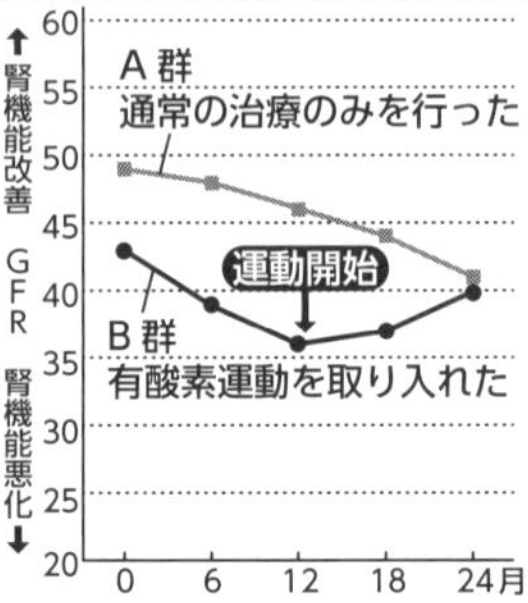

18人の慢性腎不全の患者さんを通常の治療のみ（A群）と、有酸素運動を取り入れる群（B群）に分けた。軽運動を導入したB群の腎機能(GFR)が有意に改善した。

(Greenwood SA, Koufaki P, Marcer TH et al. Am J Kidney Dis.2015)

日本人は世界一、座っている時間が長いというデータがあります。なんと1日平均7時間も座りっぱなしだそうです。慢性腎臓《じんぞう》病の患者さんにとって怖いのは、腰痛や足腰の衰えはもとより、運動不足によって慢性腎臓病の原因である糖尿病・高血圧・脂質異常症などが悪化することです。というのも、慢性腎臓病が進むにつれて心筋梗塞《こうそく》や脳卒中を起こす危険が大きくなるからです。

ところが、慢性腎臓病の患者さんの治療では、長い間、「安静第一」が重視されてきました。これはかつて、運動すると尿たんぱくが増えて腎機能が悪化すると半ば常識的に考えられていたからです。腎機能が悪化して人工透析に至るのをさけたいがために、多くの患者さんが安

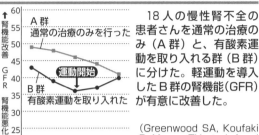

静を心がけて運動制限のある生活を送ってきました。

しかし、20年以上前、私はこの安静第一が本当に正しいのかと疑問を抱くようになり研究を始めました。その結果、運動には腎臓病を改善する確かな効果があるという結論が得られ、運動制限の根拠となっていた尿たんぱくも実は一過性のものであることがわかりました。むしろ軽い運動こそ、クレアチニン値を低下させ慢性腎臓病の改善に役立つことがわかったのです。もちろん、それまでの常識を覆す研究なので、すぐには認められませんでしたが、**今では慢性腎臓病と診断されても、軽い運動を習慣化することで腎機能の改善が期待でき、人工透析の導入を先送りできることが広く認知されています。**

すでに人工透析を受けている患者さんも、軽い運動を行えば、透析の効率が増して心機能が改善し、ＱＯＬ（生活の質）の向上と健康寿命の延伸が実現できます。

（上月正博）

運動不足になると寿命が短い

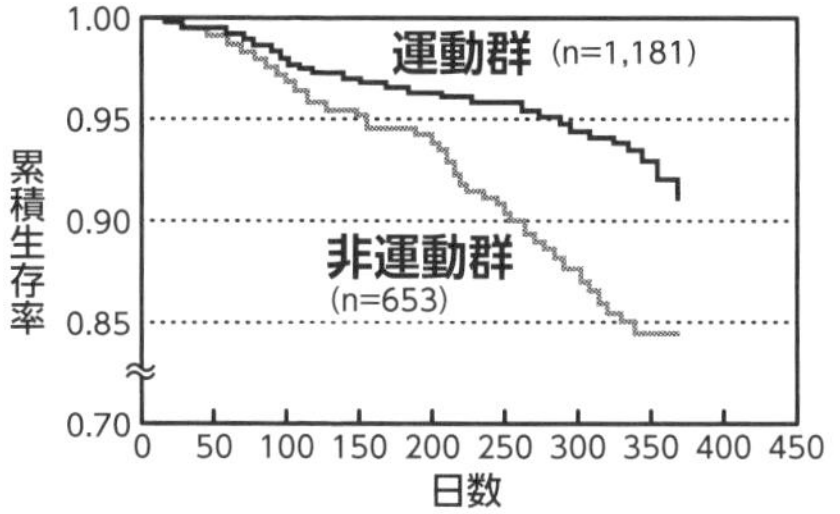

定期的な運動習慣のある患者さんは、運動をしない患者さんに比べ、明らかに生命予後がいいことがわかった。また、週当たりの運動回数が多いほど、生命予後がよくなっていることもわかった。

医療関係者は透析の患者さんの運動機能評価と運動の奨励を積極的に行う必要があるといわれるようになった。

（O'Hare et al, 2003 年より）

Q 109 運動をしてはいけないのは、どんな場合ですか？

こんなときは運動開始前に医師に相談

□高血圧で最高血圧が 180ミリ以上
□糖尿病で空腹時血糖値が 250ミリグラム以上
●急性腎炎
●ネフローゼ症候群
●心不全や狭心症など心疾患で状態が不安定なとき
●腎機能が急に増悪してきた慢性腎臓病の場合 など

慢性腎臓《じんぞう》病の患者さんには運動療法が効果的であることをすでに説明しましたが、残念なことに、なかにはすぐに取り組めない方もいます。その目安を上の表にまとめました。

最初の2項目にチェックがつく場合は、食事療法や薬物療法によって、まずは検査値の改善を図ってください。その下の項目の急性腎炎やネフローゼ症候群の患者さんは割合としてそう多くはありませんが、腎臓病そのものが急激に悪化したときや心疾《しっかん》患が見られるときはその治療が優先されます。

とはいえ、大半の腎臓病の患者さんは運動療法に取り組めると考えられるので、まずは主治医に相談してください。個々人の体力や腎臓病のステージによってどんなメニューをどう取り入れるか、実際に試しながら回数・時間を調整していきます。透析中でも無理のない範囲で運動療法が行えます。（上月正博）

G1 G2 G3 G4 G5

Q110 どんな運動をするのがいいですか？

慢性腎臓《じんぞう》病の患者さんはもちろん、すでに人工透析を受けている患者さんにも、軽い運動を行う「運動療法」が有効です。人工透析は1回に4～5時間かかり、これを週に数回受けるとなると、その間、じっとしていることで、筋力や心肺機能が著しく衰えてしまいます。すると、少しの歩行や階段の上り下りですぐに息切れしたり疲れたりするほか、筋肉の萎縮《いしゅく》や骨折を招いて寝たきり状態に至る危険が高まってしまうのです。

そうしたリスクを回避するために私は、透析中の患者さんに、前半の2時間のうちの30～60分、ベッドの上でペダルこぎのような軽い運動を行ってもらうことにしました。すると、弱っていた足腰の筋力が回復するだけでなく、心肺機能も上向き、透析の効率も上がる、といった数々の効果が確認できました。ほとんど寝たきり状態だった患者さんの足腰の筋力が強まり、旅行に行けるほど元気になった例も数多くあります。

運動療法がいいのは、何歳になっても筋肉がついてくるところです。だからといって、腎臓病の患者さんが汗だくになって、筋肉痛を起こすほどの強い運動をするのは逆効果です。心身が緊張状態にあるときに働く交感神経が高ぶって腎臓の血管が強く収縮し、腎臓の血流が妨げられることがくり返されると、腎機能が低下しかねないからです。

私たちが20年ほど前から提唱しはじめた「腎臓リハビリテーション（腎臓リハビリ）」はこうした腎臓の特徴を踏まえ、腎機能の改善はもちろん全身にさまざまな健康効果をもたらす運動療法です。

最初に取り組む「腎臓体操」は、ウォーミングアップに当たります。体を温めて筋肉や関節の動きをスムーズにし、腎臓をはじめ全身に新鮮な酸素や栄養を送りやすくします。座って安静にしているときの身体活動や運動強度を1メッツ（METs）、家の中でのふだんの動きは概ね3メッツに相当します。腎臓体操は1〜2メッツなので、腎臓病の患者さんも最初に安心して取り組めるでしょう。

次の「有酸素運動」では主にウォーキングを行います。全身の筋肉の約7割が集まる下半身を鍛え、足腰のポンプ作用で体中の血流が促されます。

最後に行う「らくらく筋トレ」は、太もも・お尻《しり》・おなかを鍛えます。週に2〜3回、1種類行うだけで十分です。

（上月正博）

G1 G2 G3 G4 G5

Q 111 大学病院でも実施されている「腎臓体操」について教えてください。

腎臓《じんぞう》リハビリのウォーミングアップとなる「腎臓体操」は、次の４種類の動作で構成されています。

①かかとの上げ下ろし
足首の関節をほぐし、アキレス腱《けん》を伸ばす効果がある。

②足上げ
ひざ関節や股《こ》関節をほぐす効果がある。

③中腰までのスクワット
太ももやふくらはぎなど歩行に必要な筋肉を強める筋トレ。

④ばんざい
肩関節周辺をほぐす効果がある。

①〜④の腎臓体操を５〜10回行うことを１セットとして、朝昼晩の３セット行う。

（上月正博）

腎臓体操中は「ひなまつり」を意識

ひ：広いスペースで
な：長く行う（１つの動きに10〜15秒）
ま：マイペースで
つ：ツーといいながら、息を止めずに
り：リラックスして、ゆっくりと

腎臓体操❶かかとの上げ下ろし

①両手を腰に当て両足は肩幅に開く。
呼吸を止めないようツーといいながら、
5秒かけてゆっくりかかとを上げる。

②呼吸を止めないようツーといいながら、5秒かけて、ゆっくりかかとを下ろす。

これを
1セット5〜10回
くり返し
朝・昼・晩
3セット行う。

腎臓体操❷足上げ

①姿勢がぐらつかないように
片手はイスの背や手すりをつかむ。
呼吸を止めないようツーといいながら、
５秒かけて片足を前にゆっくり
振り上げる。

②呼吸を止めないよう
ツーといいながら、
５秒かけて、
ゆっくりひざを曲げて
太ももを上げる。

③曲げた足を５秒かけて
ゆっくり下ろし、
後ろに振り上げる。
この間、やはり呼吸を止めないよう、ツーといいながら行う。

**①〜③を
続けて１セット
５〜10回行う。
反対側の足も
同様に行い、
朝・昼・晩の
３セット行う。**

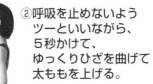

腎臓体操❸中腰までのスクワット

①両足は肩幅に開き、
両手を腰に当てて、
浅い中腰の姿勢を取る。

不安定になる
人はイスの背
などにつか
まって行う

②ツーといいながら、
息を止めないよう５秒かけて
中腰まで腰を落とす。
またツーといいながら、
５秒かけてもとの姿勢に戻す。

①～②を
5～10 回くり返す。
これを１セットとして、
朝・昼・晩の
3セット行う。

腎臓体操❹ばんざい

①両足は肩幅に開き、両手は太もものわきに添える。

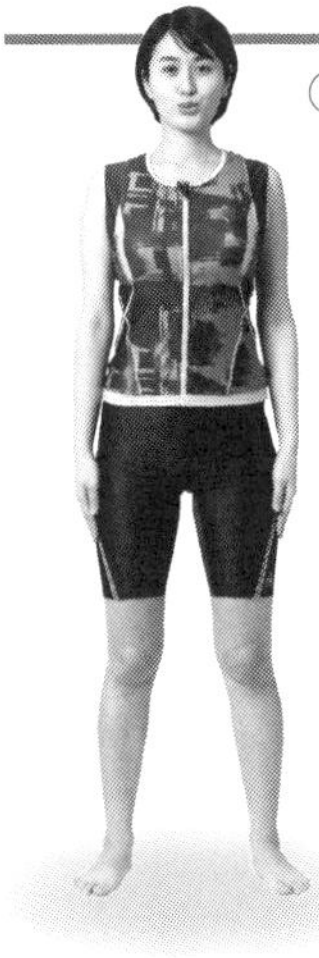

②ツーといいながら、５秒かけて両腕をゆっくりバンザイをするように上げる。

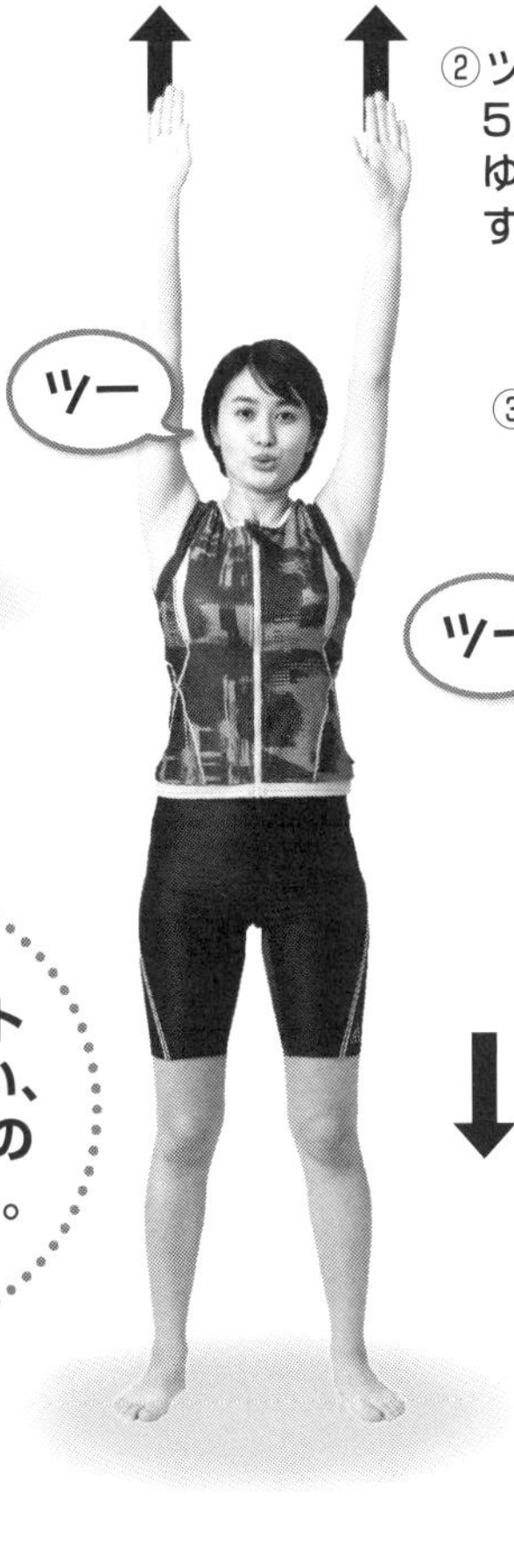

③ツーといいながら、５秒かけて両腕をゆっくり下ろす。

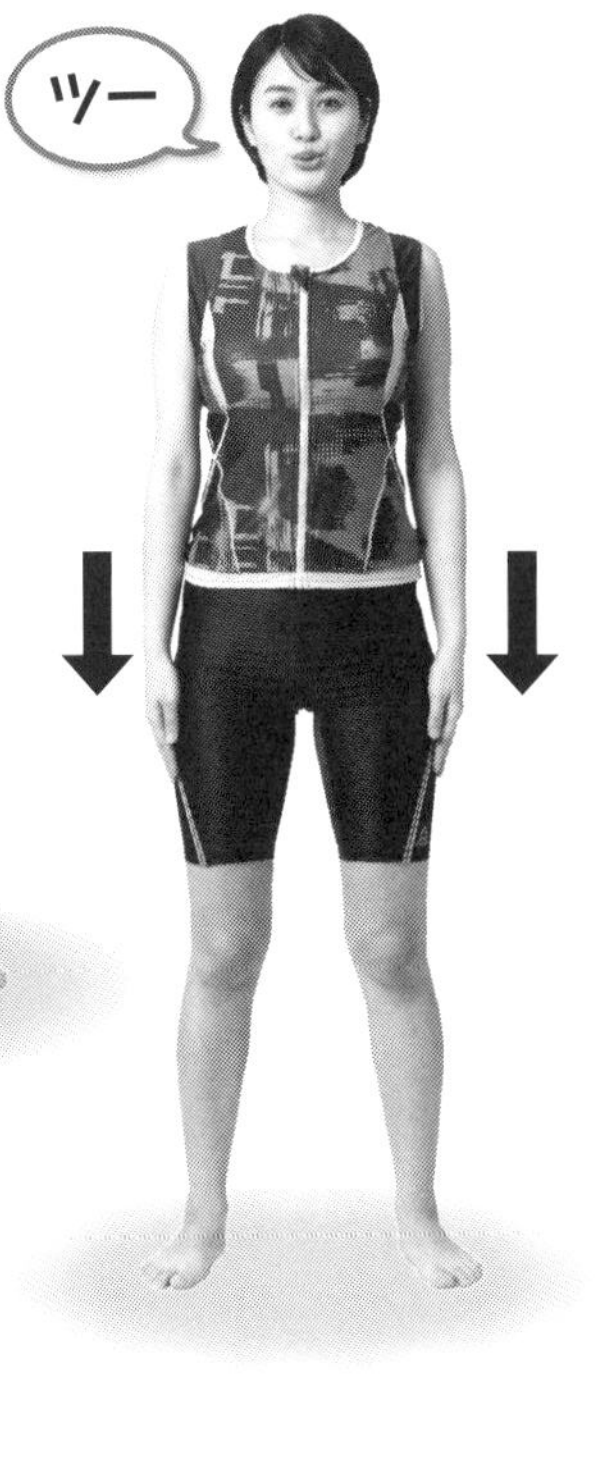

これを1セット
5～10回行い、
朝・昼・晩の
3セット行う。

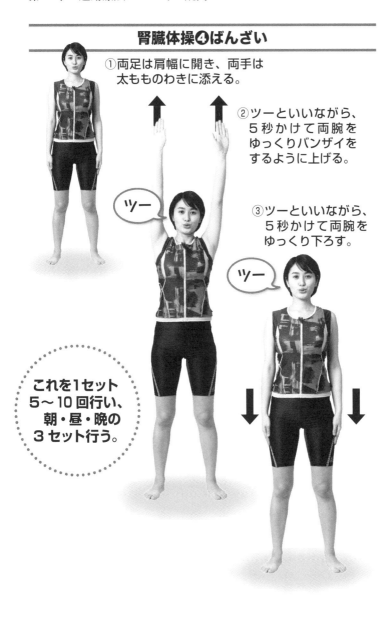

G1 G2 G3 G4 G5

Q112 ウォーキングは、1日1万歩歩かないといけませんか？

ウォーキングで1万歩が推奨されたのは、かつて「歩数計」が流行した時代のことです。腎臓《じんぞう》リハビリで行ってほしい有酸素運動はウォーキングですが、1日1万歩は必要ありません。1日20～60分、疲れがたまらない程度の強度で週3～5回行えば十分です。それでも最適な運動量はそれぞれの患者さんの病状や体力によって異なります。始めるときは、必ず主治医に相談してからにしてください。

ウォーキングを行うと、足腰のポンプ作用で全身の血流がよくなり、腎臓にも酸素や栄養が行き渡りやすくなり、腎機能の強化につながります。

もし医師に許可された範囲内でもきついと感じるようなら、1回2～3分程度の軽い散歩から始めるのがいいでしょう。体が慣れてきたら、徐々に回数や時間を増やせばいいのです。もちろん、水分を忘れずにこまめに補給してください。脱水になると腎臓の細胞がダメージを受けてしまいます。また、体調が悪いときは決して無理に行わず、しっかり休みを取ることも大切です。

（上月正博）

腎臓リハビリのウォーキング

ウォーキングを始めるときは、必ず主治医に相談して、適切な運動量を決めてから行う

1日
20 ～ 60 分を
週に 3 ～ 5 回
行うのが目安。
つらいときは
1回2～3分の
散歩からでも
OK。

あごを引き、
視線は正面
胸を張る
背すじは伸
前傾姿勢で
軽くこぶしを握り、
わきを締めて腕は
前後に大きく振る
こまめな水分補
給を欠かさない
ひざを伸ばす
歩幅はでき
るだけ広く
かかとで着地し、
爪先でけり出す

G1 G2 G3 G4 G5

Q113 筋トレはなぜ必要ですか？ 何をすればいいですか？

腎臓《じんぞう》リハビリの最後の仕上げは、「らくらく筋トレ」です。これは慢性腎臓病でほとんど運動習慣のなかった患者さんが日常生活を送るのに必要な筋力を養うことが目的です。とはいえ、ネーミングからわかるように、ごく軽い筋トレです。

①片足立ち　太ももを鍛えるダイナミックフラミンゴという体操です。片足立ちを行うと大腿《だいたい》骨頭にかかる力は両足で立つときの2・75倍になります。1分続けると、なんと53分歩く負荷に匹敵するそうです。つまり、わずか1分で股《こ》関節周囲の骨の強度とともに太ももの筋肉も強くなり、しっかり立つバランス感覚が養われます。

②お尻《しり》上げ　お尻を鍛えるヒップリフトは、お尻の筋肉に力を入れて引き上げるのがコツです。お尻をキュッと引き締めることで骨盤底筋まで鍛えられます。

③ひざ胸突き　おなかを鍛えるニートゥーチェストは、足の曲げ伸ばしをくり返すことで下腹部の筋肉を鍛えられます。

週に2、3回、1回1種類の筋トレを行うだけで十分です。

（上月正博）

らくらく筋トレ❶片足立ち

2日連続で
同じ筋トレは
行わない

イスの背に片手でつかまり、体を安定させて、片足を上げたまま１分キープする。
上げた足の太ももが
床と平行になるように引き上げる。

**左右の足で
各１分、
朝・昼・晩
1日3回行う。**

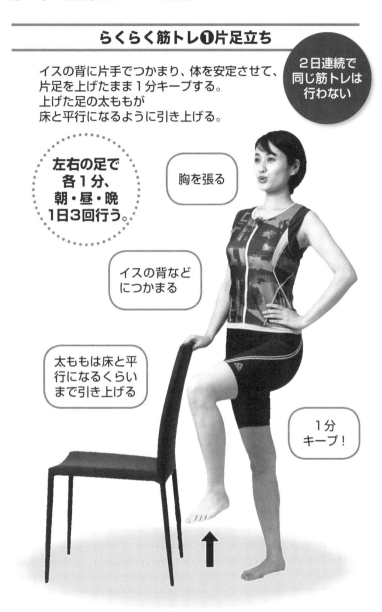

胸を張る
イスの背など
につかまる
太ももは床と平行になるくらいまで引き上げる
1分

らくらく筋トレ❷お尻上げ

①あおむけに寝て、両ひざを
そろえてひざを立てる。

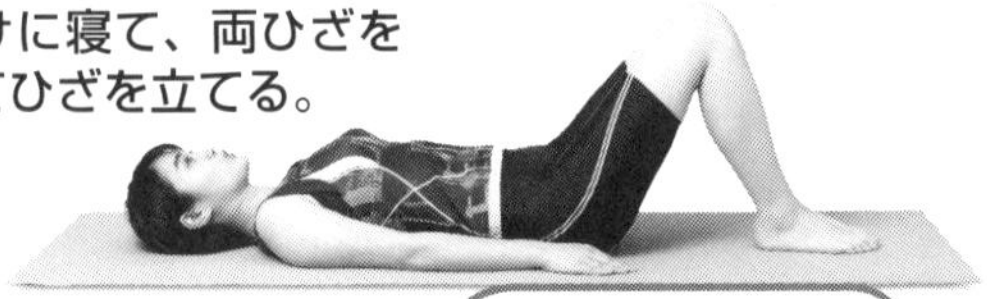

手のひらを下に向
けて体を支える

②息を吐きながら３～５秒かけて、
ゆっくりお尻を上げ、５～10秒静止する。

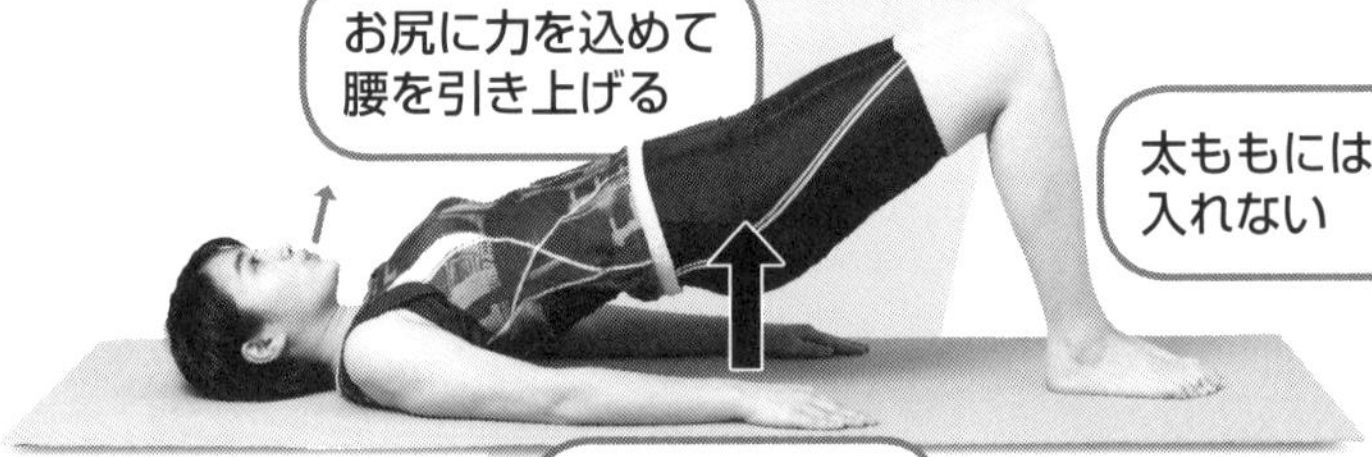

お尻に力を込めて
腰を引き上げる

太ももには力を
入れない

腰は反らさない

③息を吸いながら３～５秒かけて
ゆっくりお尻を下ろす。

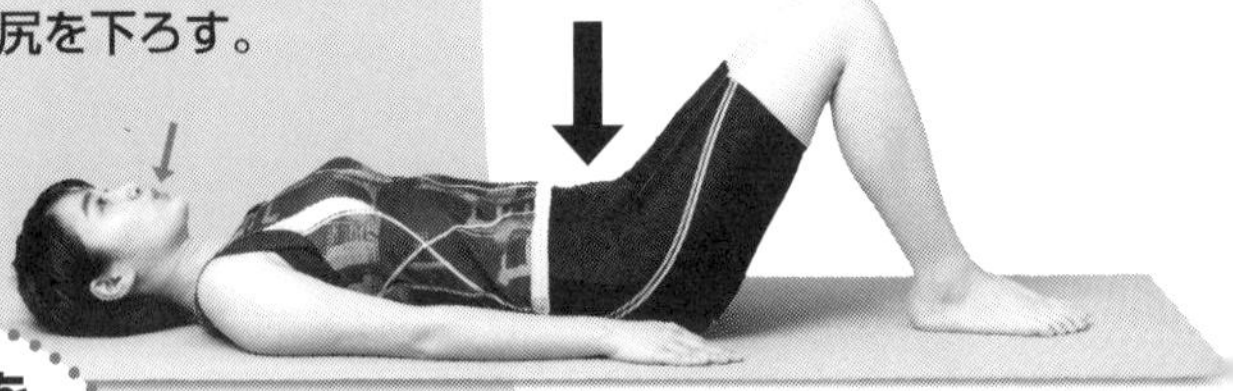

①～③を
５～10回
くり返すのを
１セットとし、
1日3セット
行う

らくらく筋トレ③ひざ胸突き

①両足を伸ばして床に座り、両腕を支えにして体をやや後方に倒す。

②片足を太ももから持ち上げて、やや浮かせる。

片足を持ち上げる

③息を吐きながら３～５秒かけて浮かせた足をゆっくり胸に引きつけて１秒静止する。息を吸いながら３～５秒かけて、その足をゆっくり前に伸ばしてもとに戻す。反対側も同様に行う。

①～③を5～10回くり返すのを1セットとし、1日3セット行う

Q 114 腎臓体操や筋トレは、どのくらいの運動量と頻度で行いますか？

腎臓《じんぞう》リハビリが、慢性腎臓病の患者さんにとって、画期的な運動プログラムであることは十分おわかりいただけたと思います。

どれも簡単で気軽に取り組める運動メニューばかりですが、腎機能をさらに活性化するには、ちょっとしたコツがあります。

まず腎臓体操は、1日3セット、できれば朝・昼・晩と行うのが目標です。とはいえ、みなさんのライフスタイルによってはそれが難しいこともあるでしょう。その場合は1日1セット、まずはご自分の都合のいい時間帯から始めてみてください。

腎臓リハビリで最も大切なことは、「続ける」ということ。腎臓体操、ウォーキング、らくらく筋トレのすべてに当てはまる原則です。

ウォーキングは、1日20〜60分、週に3〜5回行えば十分です。

らくらく筋トレは、週に2〜3回（1回につき1種目のみでOK）行うのがいいでしょう。筋トレで筋力を強化するには、筋トレを行った後に筋肉が修復される時間を

腎臓リハビリの組み合わせ例

【月曜日】	腎臓体操＋片足立ち
【火曜日】	腎臓体操＋ウォーキング＋お尻上げ
【水曜日】	腎臓体操＋ひざ胸突き
【木曜日】	腎臓体操＋ウォーキング＋片足立ち
【金曜日】	腎臓体操＋お尻上げ
【土曜日】	腎臓体操＋ウォーキング＋ひざ胸突き
【日曜日】	腎臓体操＋ウォーキング

設ける必要があります。筋肉の修復には最低でも24時間かかるので、同じ種目を連続で行わないようにし、筋トレをした部位は2日ほど休ませるのが効果的です。

腎臓リハビリでは、通勤時にウォーキングを行い、食事の前にらくらく筋トレをやるというぐあいに、自分が続けやすいよう、運動メニューを日常生活にうまく組み込むことが大切です。いっしょに励む仲間を見つけたり、運動の実施記録をつけたりすることも継続の力になるでしょう。

　また、組み合わせもいろいろなアレンジができます。上の表はその一例です。ぜひ参考にしてください。

　一方、体力的に厳しい場合や最初からすべての種目はできそうにないという方は、まず腎臓体操の4種類のうちのどれか一つ、筋トレも1種目から始めればいいでしょう。いずれにせよ無理のない範囲で継続的に体を動かすことが、腎機能の強化には重要です。

（上月正博）

G1 G2 G3 G4 G5

Q115 主治医が運動のことにくわしくありません。どうすればいいですか？

かつて運動制限が推奨されてきた慢性腎臓《じんぞう》病の治療で、腎臓リハビリの運動療法を行う場合、eGFR（推算糸球体ろ過量）が45ミリリットル／分／1・73平方メートル未満の糖尿病性腎症には、2016年4月から健康保険が適用されるようになりました。運動療法の研究を始めてから実に20年以上がたって、ようやく国が正式に運動療法の効果を認めてくれたわけです。また、2018年の糖尿病の診療ガイドラインからも、「クレアチニン値が2・5ミリグラム以上の人は運動禁止」という一文がなくなり、代わりに運動療法が推奨されるようになりました。

ところが、このリハビリの必要性は、まだあまり社会に広く知られていません。というのも、すべての医師が最新のガイドラインを見て診療しているわけではないからです。専門医でない場合、いまだに腎臓病には運動制限が必要と認識している可能性もあります。そうした場合は、医師に本書を見てもらうか、「日本腎臓リハビリテーション学会のホームページ」を参考にしてください。

（上月正博）

第8章

生活習慣についての疑問 17

Q116 仕事をするうえで注意すべきことはありますか？

ステージ、病状に応じて活動量を制限

活動量の区分		A 安静（入院・自宅）	B 高度に制限あり	C 中等度に制限あり	D 軽度に制限あり	E 普通の生活可
		重い ←				→ 軽い
仕事	通勤時間	通勤・勤務不可	30分程度まで	1時間程度まで	2時間程度まで	普通勤務可能
仕事	残業・出張		×	△	○	
仕事	肉体労働		×	×	△	
家事	家事	不可	1時間程度	いつもどおり	いつもどおり	いつもどおり
家事	買い物		30分程度	○	○	○
家事	パート		×	×	△	○
家事	育児		△	○	○	○

慢性腎臓《じんぞう》病では、仕事や家事、育児、趣味などの日常の活動量が腎臓に負担をかけていないか、見直すことも重要です。疲労がたまった状態は腎機能の低下を引き起こす恐れがあるので、日々の活動でも疲れすぎないことを心がけましょう。

病状が安定していれば仕事も続けられますが、過労にならないように無理はせず、疲れを感じたらすぐに休むようにします。熱中しすぎないよう、30分〜1時間に1回は休憩を挟むといいでしょう。次の日に疲労を持ち越すことのない程度の活動を心がけることが肝心です。

（富野康日己）

G1 G2 G3 G4 G5

Q 117 自己管理のために毎日やるべきことはありますか？

慢性腎臓《じんぞう》病は、高血圧や糖尿病、肥満症といった悪い生活習慣に起因する病気と深く関係しており、生活習慣の改善が欠かせません。そこで、毎日、体重と血圧の測定・記録を行って、その成果を確認してください。

体重は毎日１回、同じ時刻に量ります。朝起きてすぐパジャマ姿で量る、風呂上がりに裸で量るなど、同じ条件下で測定するのがポイントです。体重はグラフに記録し、通院時に持参するといいでしょう。

血圧は、１日２回、朝晩決まった時間に測定します。朝は起床後１時間以内でトイレをすませた朝食前に測ります。夜は就寝前に測ります（夕食・飲酒・入浴の直後はさける）。家庭で血圧を測るさいは、最大血圧１２５ミリ、最小血圧75ミリが目標値となります。毎日、生活をきちんと節制していれば、それは着実に数値に現れます。毎日、治療を続けるいい動機づけになるので、ぜひ測定を習慣づけてください。

（富野康日己）

G1 G2 G3 G4 G5

Q
118

禁煙しなければいけませんか？

タバコに含まれる有害物質には全身の血管を収縮させて、血圧を上げる作用があります。また、悪玉（ＬＤＬ）コレステロールを増やし、善玉（ＨＤＬ）を減らして動脈硬化を進めることがわかっています。さらに、喫煙は、尿たんぱくを増やし、腎臓《じんぞう》に直接的な害を及ぼすという報告もあります。「慢性腎臓病診療ガイドライン２０１２」では、「１日21本以上の喫煙者は、非喫煙者の８倍近くも末期腎不全のリスクが高くなる」と記されています。

つまり、「慢性腎臓病の人は禁煙すべき」というのが当然の答えなのですが、タバコに含まれるニコチンには依存性があり、やめるのはなかなか難しいものです。また、本数を減らす「節煙」ではなんの意味もありません。自力で禁煙できないときは、禁煙外来を受診するのも一つの手段です。健康保険の適用となることもあるので、主治医に相談してみてください。禁煙に成功すれば、腎機能ばかりでなく、がんや心血管病の予防になるなど得るものは大きいので、ぜひ禁煙にチャレンジすべきです。

（富野康日己）

G1 G2 G3 G4 G5

Q119 飲酒はやめなくてもいいですか？

慢性腎臓《じんぞう》病の患者さんでも、肝臓やすい臓に病気があって飲酒を制限されている状態でなければ、お酒を飲んでも大丈夫です。ただし、体調がいいときに、適量を守って飲酒することが大前提になります。１日のお酒の適量は、アルコール量に換算して男性が20〜30グラム、女性が10〜20グラムです。お酒は適量であれば血流をよくするので、慢性腎臓病の進行抑制につながるほか、心血管病の予防効果も期待できます。

一方で、適量を超えた飲酒は、腎機能に悪い影響を及ぼし、心血管病のリスクを高めます。高カロリーで塩分が多いおつまみをとる、全くおつまみをとらない、毎日飲む、飲んだら寝てしまう、ペースが速い、といった飲酒のしかたはさけましょう。野菜や豆腐などを使った低カロリーのおつまみを用意し、ゆっくりとしたペースで飲むようにしてください。

（富野康日己）

飲酒の限度量

※アルコール量20グラム相当のお酒の量（カッコ内の%はアルコール度数）

●**ビール**（4.6%）
→中ビン１本（543ミリリットル）

●**日本酒**（吟醸酒：15.7%）
→１合弱（159ミリリットル）

●**焼酎**（乙類：25%）
→コップ半分（100ミリリットル）

●**赤ワイン**（11.6%）
→グラス２杯（216ミリリットル）

●**ウイスキー**（40%）
→ダブル１杯（63ミリリットル）

●**発泡酒**（5.3%）
→500ミリリットル缶１本弱（472ミリリットル）

G1 G2 G3 G4 G5

Q120 夏に注意すべきことはありますか?

慢性腎臓《じんぞう》病の人が脱水状態や熱中症になると、腎臓に大きな負担がかかって腎機能を低下させる恐れがあります。そのため、日ごろから適切な水分補給を心がけ、腎臓に十分な量の血液が流れ込む状態を維持してください。慢性腎臓病の治療では、ステージG4以上で尿量が減少している場合には、水分制限を行うことがありますが、G3までの段階なら、**適切な水分補給を行うことが重要です。**特に、夏の暑い時期は、水分補給を十分に行う必要があります。のどの渇きを自覚していなくても、1~2時間おきに100~200㍉㍑《ミリリットル》の水分をとる習慣をつけるといいでしょう。

脱水症を招きやすい状況には、「室内の温度が28度C以上」「風通しが悪い」「直射日光の当たるところにいる」「暑い車内に長時間いる」などがあります。また、「だるさがある」「立ちくらみがする」「いつもよりトイレに行かない」などの症状があるときは脱水症の疑いがあります。さらに、脱水症が進むと、「強い脱力感がある」「意識が朦朧《もうろう》とする」「頭痛やめまいがする」などの症状が出てきます。状況によってはためらわずに救急車を呼んでください。

（富野康日己）

G1 G2 G3 G4 G5

Q 121 冬に注意すべきことはなんですか？

慢性腎臓《じんぞう》病の患者さんは、寒さによる「冷え」に十分注意してください。体が冷えると血管が収縮して全身の血流が悪くなり、腎臓に流れ込む血液の量も減少します。また、血管の収縮は高血圧を招きます。いずれも腎臓に大きな負担をかけて、慢性腎臓病の悪化につながります。寒い時期は長時間外にいつづけるのはできるだけ控えたいところです。やむを得ないときは、重ね着やマフラー、帽子などで、体から熱を逃さないようにしてください。冷え症の人は保温性の高いインナーや靴下、携帯カイロなどを活用するといいでしょう。家の中では、トイレや洗面所といった冷える場所には暖房器具を置くようにします。食事では体を温める食材をとるほか、ストレッチやマッサージで体を動かして温めるのもいいでしょう。寒いと感じる前に冷え対策をすることで、血流の滞りが防げます。

夏場の冷房も冷えの一因になります。クーラーの温度設定や扇風機の風向きに気をつけ、カーディガンやひざかけを常備して冷え対策をしておきましょう。

（富野康日己）

G1 G2 G3 G4 G5

Q122 入浴で注意点はありますか？

入浴には、全身の血管を広げて血流をよくする効果があります。腎臓《じんぞう》への血流も増えるので腎機能の維持につながり、体内の老廃物や疲労物質の排泄《はいせつ》が促されます。自律神経（意志とは無関係に血管や内臓の働きを支配する神経）がリラックスして深い睡眠が得られたり、筋肉のこりをほぐしたりする効果があります。

ただし、熱すぎるお風呂はかえって体に負担となるので、**お湯の温度は39～41度Cくらいのぬるめに設定**してください。長湯はさけて、お湯に漬かる時間は**1回3～5分程度、漬かる回数は3回までと**します。また、心血管病のある人は、下半身だけお湯に漬かる**「半身浴」**で心臓への負担を減らすようにしてください。

リラックス効果をさらに高めたいのであれば、湯船の中で足首や肩、首のストレッチをしたり、ふくらはぎなどをマッサージしたりするのがおすすめです。

一方で、血液透析の当日や、むくみがあるとき、血圧が高いとき、食後すぐや飲酒後すぐのときは入浴を控えます。浴室や脱衣所はあらかじめ暖かくしておき、温度差を小さくして血圧の急上昇を防ぎましょう。

（富野康日己）

G1 G2 G3 G4 G5

Q 123 トイレで注意すべきことはありますか？

仕事や家事が忙しかったり、外出先でのトイレがめんどうだったりという理由で、トイレを我慢する人がいます。また、トイレの回数を減らすため、水分の摂取を控える人もいます。特に女性は、**トイレを我慢する傾向があり、その結果、「膀胱炎《ぼうこうえん》」や「腎盂腎炎《じんうじんえん》」が生じる危険性が高まり、腎機能が低下する原因になります。**

膀胱炎は、尿道から体内に侵入した大腸菌が膀胱の中で増殖し、炎症を起こす病気で、頻尿・排尿痛・尿意切迫感（強い尿意）・血尿・残尿感といった症状が現れます。

膀胱で炎症を引き起こした大腸菌が、腎盂（腎臓と尿管の接続部）まで侵入して炎症を起こせば、腎盂腎炎となります。膀胱炎が悪化して腎盂腎炎を併発することが多く、症状には発熱や血尿、背中の痛みなどがあります。

膀胱炎も腎盂腎炎も、男性より女性に多発します。女性は尿道が短く、大腸菌が膀胱まで到達しやすいためです。尿意を催したら我慢せず、速やかにトイレに向かいましょう。こまめに水分を補給してトイレの回数を増やすことで、感染を予防することができます。

（富野康日己）

Q124 最近話題の腸活は腎臓病対策にもいいですか？

最近の研究で、腸内で悪玉菌が優勢になって便秘になると、体内の老廃物や毒素が増えて、腎《じん》機能の低下を招くことがあると報告されています。

「腸活」とは、腸内環境を整えること。腸内に住み着いている悪玉菌を減らし善玉菌の数を増やすには、乳酸菌やビフィズス菌入りのヨーグルトを食べるといいでしょう。ヨーグルトには、腸内の善玉菌を活性化させる働きがあります。また、善玉菌のエサとなる食物繊維を含む食品を多くとることもポイントです。食物繊維のうち、水に溶ける「水溶性食物繊維」は、糖の吸収をゆるやかにして、食後血糖値の急激な上昇を抑えます。水に溶けない「不溶性食物繊維」は、水分を吸収して膨らみ、腸の蠕動《ぜんどう》運動を促して便秘を予防する働きがあります。不溶性と水溶性が2：1の比率になるように、意識してとるようにしてください。

（富野康日己）

食物繊維の種類

●**水溶性食物繊維を多く含む食品**
コンブ、ワカメ、ヒジキなどの海藻類、コンニャク、ラッキョウなど

●**不溶性食物繊維を多く含む食品**
切り干し大根、モロヘイヤ、ブロッコリー、ホウレンソウ、干し柿、リンゴなど

●**不溶性と水溶性をバランスよく含む食品**
納豆、ゴボウ、オクラなど

G1 G2 G3 G4 G5

Q 125 足のむくみがつらいです。解消法はないですか？

腎《じん》機能が低下すると、老廃物や余分な水分を体外に排泄《はいせつ》する働きも低下して、体に水分がたまりやすくなります。運動で筋肉を動かすのが一番の対策ですが、運動を制限されている場合はマッサージで血流を促しましょう。

①**ふくらはぎ**…足首の裏、アキレス腱《けん》の上部に両手を当て、ふくらはぎを包むようにしながら、ひざの裏に向かってさすり上げます。

②**太もも**…ひざの横に両手を当て、太ももを軽く押しながら下肢《かし》のつけ根までさすり上げます。

③**足指**…両手の親指と人さし指で、足の指を1本ずつ、爪の先からつけ根までを軽く押しながらさすります。

1日1回、左右それぞれ1分ずつ行ってください。血流が促されることでむくみも軽減されます。ただし、むくみの原因が慢性腎臓病によるものであれば、その治療を行うことが、むくみの根本的な解消につながります。

（富野康日己）

G1 G2 G3 G4 G5

Q126 歯周病が腎臓病に関係するとは本当ですか？

私たちの口の中には300～500種類もの細菌が住み着いており、その細菌が作るプラーク（歯垢《しこう》）が原因で起こる歯周病は、慢性腎臓《じんぞう》病ともつながりがあります。歯周病は歯肉に炎症を引き起こし、歯を支える骨を溶かす病気ですが、**糖尿病や動脈硬化を悪化させることもわかっています。**これらの病気は慢性腎臓病の危険因子でもあるので、糖尿病や動脈硬化が悪化すると、腎機能の低下にもつながります。実際に、**慢性腎臓病で透析治療を受けている人には、歯周病が多いことも指摘されています。**

プラークは誰の口の中にも存在し、加齢によっても進行するので、歯周病を完全に予防するのは困難です。しかし、毎日の**歯磨きと歯ぐきのケア**を行うことでプラークを減らすことはできます。歯ブラシを鉛筆を持つようにして持ち、歯と歯ぐきの境目を細かく磨きます。デンタルフロス（歯間を掃除するための細い糸）や歯間ブラシも活用すると、なおいいです。とはいえ、日々の歯磨きでは80％程度のプラークしか取れないとされています。1年に1～2回は歯科医を受診し、定期的にメンテナンスをすることをおすすめします。

（富野康日己）

G1 G2 G3 G4 G5

Q127 睡眠について注意点はありますか？

睡眠中は、成長ホルモンが分泌《ぶんぴつ》され、傷ついた全身の細胞が修復されるほか、疲労の回復や免疫の増強、記憶の固定などが行われます。質のいい睡眠は心身のメンテナンスに不可欠なものです。そのため、必要な睡眠時間については個人差がありますが、6時間以上、できれば7時間は取るようにしたいものです。**短時間の睡眠が続くと、高血圧や糖尿病、脂質異常症、肥満などの原因になり、慢性腎臓《じんぞう》病を悪化させたり心血管病の発症リスクを高めたりする恐れがあります。**また、腎臓のろ過機能は夜間に低下するので、夜ふかしはさけて、夜12時までには眠りに就くようにしましょう。

質のいい睡眠を取るためには、起きている時間の過ごし方にも気をつける必要があります。昼間は適度な運動をして体を動かし、夕食や飲酒は就寝の3時間前までに終わらせましょう。寝る前にカフェインの入っていない温かい飲み物を飲んだり、軽いストレッチをしたりすると体が温まり、寝つきがよくなります。寝る前のテレビ、ビデオの視聴やゲームは入眠の妨げになります。寝つきが悪いからといって睡眠薬や寝酒に頼るのも、腎機能が低下する原因となります。

（富野康日己）

Q128 市販薬なら利用しても大丈夫ですか？

慢性腎臓病の人が注意したい主な市販薬とサプリ

●市販薬にも使われる主なNSAIDs
- アスピリン
- イブプロフェン
- エテンザミド
- イソプロピルアンチピリン
- アセトアミノフェン　など

●服用を控えたい漢方薬やサプリメント
- セントジョーンズワート
- 甘草を含む漢方薬
- アスコルビン酸を含むサプリ
- アリストロキア酸を含むハーブ（カンモクツウなど）
- 鉛、クロム、セレンを含むサプリ　など

慢性腎臓《じんぞう》病の患者さんは、市販薬には細心の注意を払う必要があります。また、医師による処方薬にも同様のリスクが存在します。腎機能が低下していると、薬に含まれる成分が尿から排泄《はいせつ》されにくくなり、健康なときや健康な人よりも副作用が強く出る恐れがあるからです。特に注意が必要なのが、発熱や頭痛、腰痛、ひざ痛などの治療で鎮痛薬としてよく使われる非ステロイド性抗炎症薬（NSAIDs《エヌセイズ》）です。腎臓病以外の病気で医師に診てもらうときは、必ず自分が慢性腎臓病であることを伝え、お薬手帳を持参して確認してもらいましょう。

また、漢方薬やサプリメントも、自己判断で使うと腎機能を低下させる恐れがあります。この場合も、製品を持参して主治医に相談してください。

（富野康日己）

G1 G2 G3 G4 G5

Q129 新型コロナウイルスに感染すると重症化しやすいですか？

慢性腎臓《じんぞう》病の患者さんは高血圧や糖尿病を合併している方が大半なので、新型コロナウイルス感染症にかかると、重症化しやすいと考えられています。またＩｇＡ《アイジーエー》腎症やネフローゼ症候群、腎移植後などで免疫抑制薬を服用している場合は、すべての感染症に対する抵抗力が低下しており、注意が必要です。また、新型コロナウイルスに感染すると、低酸素血症などの影響で血圧が不安定になって腎臓への血液量が減少するため急性腎障害（ＡＫＩ）を発症することがあるとされています。

外出が不安な場合は、電話による診察で服用薬の処方箋《せん》を出してもらうことができる場合があります。主治医の先生に確認してみてください。透析を受けている場合には、外出がめんどうでも透析予定日に必ず受診してください。ただし、セキや発熱がある場合は、必ず事前に透析を実施している医療機関に電話をして指示を仰いでください。万が一、新型コロナウイルスに感染していることがわかった場合には、指定された病院に入院してください。そこで透析治療を受けることができます。（山縣邦弘）

Q 130

家で過ごす時間が多いのですが、注意することはありますか？

テレビ視聴時間と慢性腎臓病（CKD）

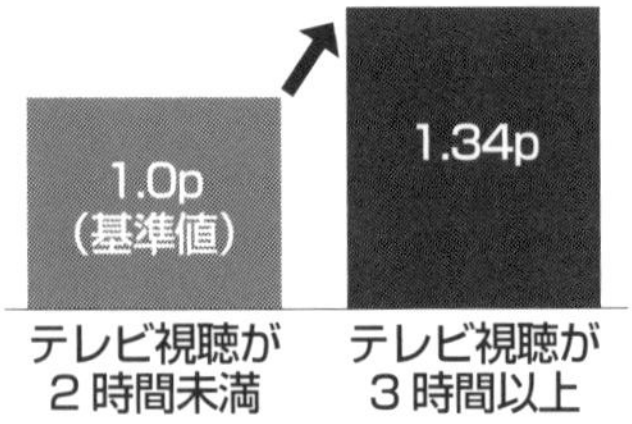

（Marquis Hawkins 氏らの調査より）

クレアチニン値、血圧、BMI など CKDのリスクを高める各検査値の総合値をポイント化して比較した結果、進行リスクが34%上昇していた。

最近、「サルコペニア」「フレイル」という言葉を聞く機会が増えました。サルコペニアは、加齢や病気で筋力低下が起こること。フレイルは、高齢者が老化によって陥る心身虚弱な状態です。ともに感染症に罹《り》患《かん》すると肺炎を起こしたり、ときには生命が危険になることもあります。実は慢性腎臓《じんぞう》病になると、サルコペニアやフレイルに陥りやすいのです。

新型コロナ禍《か》では、家の中でも軽度な運動を心がけるように医療者が呼びかけていましたが、1日中座りっぱなしでいた人も少なくないと思います。**実は1日安静に過ごすだけで、なんと2%も筋肉量と筋力が低下します。**つまり、1日座ってテレビばかり見ていると1～2歳も老化するわけです。慢性腎臓病の方は特に注意しましょう。

（上月正博）

Q131 慢性腎臓病でも性生活を営めますか？

結論からいうと、できます。性交渉はパートナーとの大切なコミュニケーションですから、あきらめる必要はありません。ただ、いくつか注意点があります。

運動量の面では、通常の性交渉は、「速歩き」や「荷物を持って歩く」のと同じ程度ですから、問題ありません。透析を受けている場合でも、シャントを強く圧迫しないよう注意すれば、これも問題ありません。ただし、腎《じん》機能が低下して運動制限が必要とされている人は、性交渉も控えるよう指導されます。

透析を受けている男性は、動脈硬化による血流障害や自律神経の乱れ、ホルモン分《ぶん》泌《ぴつ》の低下などにより、ＥＤ（勃起《ぼっき》不全）を発症することが少なくありません。ＥＤ治療のために処方されるＰＤＥ５阻害薬（商品名・バイアグラ、レビトラ、シアリス）は、重度の腎障害がある場合、慎重な使用か、場合により使ってはいけないとされています。これらの薬は、個人輸入などに頼らず、医師に処方してもらうべきです。性生活の悩みを話すのは気が引けるかもしれませんが、対処法はあります。大切なことですので、恥ずかしがらずに主治医に相談してください。

（川村哲也）

G1 G2 G3 G4 G5

Q132 腎臓病で不安でしかたがありません。どうすればいいですか？

慢性腎臓《じんぞう》病の治療は長期にわたることから、仕事に支障が生じたり、ご家族に協力してもらったりと、精神的につらいことも多いかと思います。悩んだり迷ったりしたときは、大学病院や総合病院に開設されている医療相談室や慢性腎臓病の患者会などを利用するといいでしょう。患者どうしであれば、主治医にいえないことや聞けないことも話しやすいかもしれません。ご家族も利用できるので、気軽に相談してみてください。解決法がすぐに見つからなくても、悩みを共有するだけで不安を和らげることができます。

また、病気に対する正しい知識を持ち、自分の症状をしっかりと把握することが大切です。治療法や生活管理のしかたを理解して、腎機能を維持するための治療や生活改善に取り組んでください。家に閉じこもらず、できることに積極的にチャレンジし、趣味などの生きがいを持つことも大切です。いずれにしても、すべてにおいて自己判断せず、信頼のおける「かかりつけ医」になんでも相談しましょう。

（富野康日己）

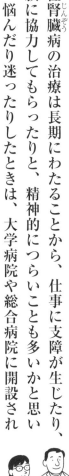

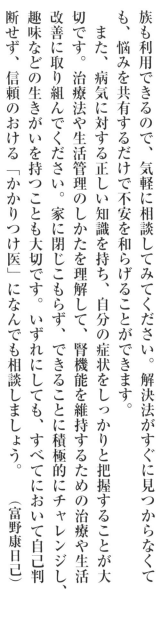

第9章

透析・腎移植についての疑問18

Q133 どんな状態になったら透析が必要になりますか？

慢性腎臓《じんぞう》病がステージG4（GFR15～29。62ページ参照）になると、腎《じん》機能は「高度低下」とされ、薬の服用だけでは対処できなくなってきます。主治医、腎臓専門医、専門医療機関（透析施設）が連携して、透析の導入が検討されることになります。

具体的な導入の目安は、**腎機能が10％以下**になった場合とされていますが、実際の診療では、**厚生労働省の「透析導入適応の基準」**に、血清クレアチニン値、症状（体液、消化器、循環器、神経、血液、視力の症状）、日常生活障害度（日常生活にどれほどの障害があるか）を照らし合わせて、**点数が60点以上**になると、原則として透析が必要な状態と判断されます。

例えば血清クレアチニン値が8ミリグラム以上だと「透析導入適応の基準」で点数は30点で、症状、日常生活障害度と併せて60点以上になれば、透析が導入されます。

また、腎機能が15％以上あっても、**尿毒症の症状**（吐きけ、嘔吐《おうと》、下痢《げり》、食欲不振など）、**高カリウム血症、心不全**があって、治療しても改善されない場合は、人工透析治療が必要と診断されます。

（川村哲也）

Q 134 透析にはどんな種類がありますか？

大きく分けて、血液透析と腹膜透析があります。

透析の方法は、通院が可能かどうか、仕事との兼ね合いなど、自分のライフスタイルに合わせて選ぶことができます。

また、血液透析と腹膜透析を併用することも可能です。

①**血液透析**……血液をいったん体外へ出し、ダイアライザーという人工透析装置に血液を通して、老廃物を除去してから体内へ戻す方法です。専門の透析施設へ週３回ほど通院して治療を受けます。人工透析を受けている人の約97％は、血液透析を行っています。

②**腹膜透析**……透析液を自分で腹膜（腹部内部を覆っている膜）に注入して一定時間ためておき、老廃物などを透析液へ移動させる方法です。透析液の注入と回収は、基本的に自宅において自分（または介護者）で行い、通院は月に１度程度となります。

（川村哲也）

Q
135

血液透析とはどのような方法ですか？

血液透析は、体外へ出した血液をダイアライザーという人工透析装置に通して老廃物を取り除くほか、体液（水分）の量や、酸性・アルカリ性の度合い（pH）、電解質のバランスなどを調整したあと、再び体内へ戻す治療法です。ダイアライザーは腎臓《じんぞう》の働きを模した装置で、人工腎臓とも呼ばれています。

通常は、専門の透析施設へ通院して治療を受けます。腕に人工透析装置へ続くチューブにつながる針（血液を体外へ出すものと入れるものの2本）を刺してテープで固定し、透析が終わるまでベッドで安静にして過ごします。

透析中は医療機関によってテレビが用意されていたり時間によっては軽食が用意されたりします。装置につながっていないほうの手を使って、読書をしたり、スマートフォンやタブレットを操作したりすることもできます。

（川村哲也）

Q 136 血液透析では、なぜシャント手術が必要なのですか？

血液透析はいったん血液を体外へ出し（脱血）、老廃物を除去した後に体内へ戻す（返血）ため、シャント（血液の出入り口となる血管。バスキュラーアクセスともいう）を作る手術をします。目的は血液量の確保です。血液透析は1分間に200ミリリットルという大量の血液を取り出すために太い血管が必要で、血圧の高い動脈を静脈につなぐことで、静脈の血液量を増やして太くするのです。また、週に何度も針を刺すため、針の刺しやすい血管を作ることで、患者さんと医療者のストレスを減らせます。

通常は利き腕でないほうの腕の、橈骨《とうこつ》動脈と橈側皮《とうそくひ》静脈をつなぐ手術をして、静脈が十分に太くなった1ヵ月後くらいから、静脈側に針を刺して血液透析を行います。利き腕でないほうの腕にすることで、血液透析中も、読書やスマートフォンなどの操作ができます。最近は日帰りで手術を行う医療機関が多いようです。

緊急時や、腕の血管が細い人などは、右内頸《けい》静脈（首の右側にある太い静脈）に脱血と返血の2ルートがあるチューブを入れて行う場合もあります。

（川村哲也）

Q 137 血液透析はどのようなしくみで行うのですか？

人工透析装置内にはごく細い「透析膜」と呼ばれる管が約1万本入っています。ここを血液が通る間に、管の周囲に流れている透析液と接するようになっています。

管にはごく小さな穴があいており、分子の小さな老廃物や余分な水分、過剰な電解質（ナトリウム、カリウム、リンなど）が血液中から透析液へ排出されます。赤血球や分子の大きなたんぱく質は、この穴を通れないため、血液中に残されます。こうしてきれいになった血液が、体へ戻されるのです。

人工透析装置のしくみは、「物質の分子の大きさにより血液から排出するものを分ける」という腎臓《じんぞう》の働きを模したものです。

（川村哲也）

血液透析のしくみ

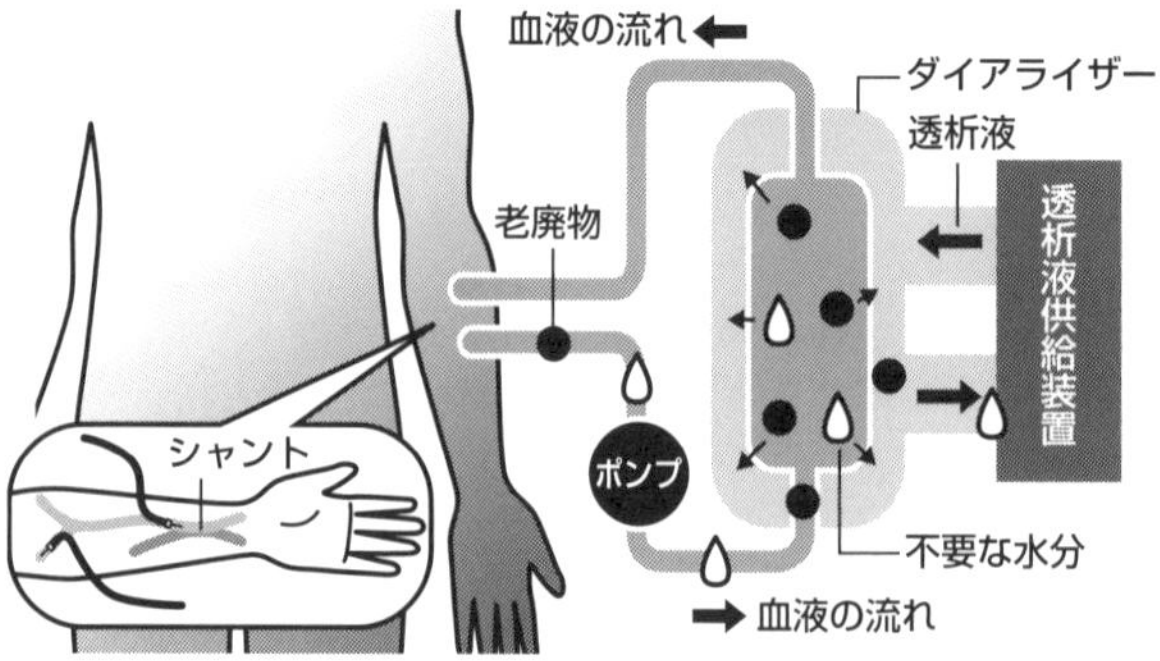

Q 138 血液透析はどのくらいの時間と頻度で行われますか？

通常、血液透析は、1回4～5時間、週3回行うのが基本です。週3回は通院が必要ですが、夜間や休日も対応できる透析施設もあり、血液透析をしながら仕事を続けることは可能です。通院で透析を受けている人のほとんどは、これくらいの時間と頻度で行っています。しかし、「1日4～5時間、週3回」の血液透析は、あくまでも標準とされる目安であって、本当は透析時間は長いほどよく、回数も多いほどいいのです。透析時間が長くなれば、より多くの老廃物を除去できます。余分な水分を除去するさいも、短時間よりは時間をかけて行ったほうが、体への負担が小さいのです。

回数については、1週間に12時間の透析をする場合、「1日4時間、週3回」よりも「1日2時間、週6回」とこまめに行ったほうが効果が高いともいわれています。

ただ、長時間ベッドの上から動けないと仕事に差しつかえがあったり、毎日のように通院するのは心身面で負担が大きかったりといった理由で、「1日4～5時間、週3回」の通院による血液透析が標準となっているのです。

（川村哲也）

Q 139 血液透析をしていれば、生活習慣はさほど気をつけなくていいですか？

血液透析を始めると、たんぱく質の制限が標準体重1キロ当たり0・9～1・2グラムとなり、それまでよりややゆるくなります（113ページ、118ページ参照）。しかし、血液透析をしていても、生活習慣のコントロールは必要です。なぜなら、人工透析装置は腎臓《じんぞう》の働きを模してはいますが、腎臓の機能を完璧に代行できるわけではないからです。

血液透析をする患者さんの多くは透析を重ねるうちに無尿となるため、塩分と水分の制限をしたり、血液中のリンが増えすぎないように薬（リン吸着薬）を服用したりすることが必要です。

また、人工透析装置は、腎臓と違い、造血ホルモンを分泌《ぶんぴつ》したり、ビタミンDを活性化（体内で利用できる形にすること）したりすることはできません。したがって、それを補うために、造血ホルモンを注射したり、活性型ビタミンD3を内服したりする必要があります。

（川村哲也）

Q140 血液透析は在宅でできないのですか？

医療機関から装置を借りて自宅で行うこともできます。通院回数が減り、自分の生活リズムに合わせることができます。また、こまめに透析ができて水分や老廃物の増減幅が小さく、体への負担が軽くなるため、生存期間が延びることも明らかになっています。ただし、在宅血液透析を行うためには、次の条件を満たす必要があります。

①重い合併症がないこと
②透析中の状態が安定していること
③本人の強い希望があること
④患者、介護者ともに技術習得のための教育訓練を受けることができること
⑤教育訓練の内容を理解、習得する能力があること
⑥自己穿刺《せんし》（自分で血管に針を刺すこと）ができること
⑦透析を行うスペースや材料の保管場所を自宅に確保できること

在宅血液透析そのものは保険適用ですが、機材設置工事、電気代、水道代は自己負担となります。希望する人は、まずは主治医に相談するといいでしょう。（川村哲也）

Q 141 血液透析ではどんな合併症が起こりますか？

①**不均衡症候群**……透析中や終了後12時間以内に頭痛や吐きけ、嘔吐《おうと》、けいれんなどの症状が現れるものです。透析で急激に老廃物が除去され、血液と脳細胞の間の老廃物の濃度に差ができることで起こります。

②**不整脈**……心臓病の人は、急激な水分除去によって血液量が減ったり、電解質に変化が起きたりすると、脈が乱れることがあります。

③**貧血**……腎臓《じんぞう》から造血ホルモン（エリスロポエチン）が十分に分泌《ぶんぴつ》されず、老廃物の影響で赤血球の寿命が短くなるため、貧血が起こることがあります。

④**骨がもろくなる**（腎性骨異栄養症《じんせいこついえいようしょう》）……ビタミンDが十分に活性化されないこと、電解質のバランスがくずれることによって、骨がもろくなります。

⑤**透析アミロイドーシス**……透析で十分除去できなかったアミロイドという物質による病気が起こることがあります。骨、関節に沈着して手指などに痛みやしびれが出たり（手根管《しゅこんかん》症候群）、肩関節痛、手関節痛などが現れます。

（川村哲也）

Q 142 腹膜透析とはどのような方法ですか？

腹膜透析は自分の腹膜（腹部内部を覆っている膜）を透析膜代わりに使って透析を行う治療法です。基本的に自宅において自分（または介護者）で行います。透析液を腹腔《ふくくう》（肝臓、胃、腸などが収まっている空間）に出し入れするため、カテーテル（チューブ）を腹腔内に挿入する手術が必要です。

腹膜透析には、次の2種類がありますが、両者を併用する場合もあります。

①**持続携行式腹膜透析**（CAPD）……腹部のカテーテルを透析液の入ったバッグにつないで、バッグを高い位置につるし、透析液を自然に腹腔内へ流し込む方法です。透析液は腹腔内に5～8時間ためておきますが、その間に、老廃物や余分な水分が腹膜を通って透析液に移行します。老廃物を含む古い透析液は、低い位置に置いた別のバッグに回収します。

②**自動腹膜透析**（APD）……就寝中に、自動腹膜環流装置（サイクラー）という機械を使って、腹腔内の透析液の交換を自動的に行うもので、交換作業がない日中は、比較的自由に過ごせる方法です。

（川村哲也）

Q143 腹膜透析はどのくらいの時間と頻度で行いますか？

①持続携行式腹膜透析（CAPD）……透析液の交換は1日3～4回、1回にかかる時間は約30分です。腹腔《ふくくう》内に透析液を貯留するので24時間透析を続けられます。慣れれば職場や外出先でも透析液の交換が可能で、通院は月に1回程度ですみます。

②自動腹膜透析（APD）……就寝中に自動腹膜環流装置（サイクラー）を用いて自動で4～6回の交換を行います。APDには、夜間だけ透析液を腹腔内に貯留・交換を行う方法（NIPD。夜間だけ腹腔内に透析液をため、日中はためない）と、夜間に加えて日中にも貯留を行う方法（CCPD。夜間に加え、日中も腹腔内に透析液をためておく）があり、CCPDは、NIPDだけでは透析不足になる場合に行います。どちらも機械の故障などの緊急事態がなければ、通院は月に1回程度です。

いずれの方法も長く続けると被嚢《ひのう》性腹膜硬化症（207ページ参照）という重篤な合併症を引き起こすため、腹膜透析を続けられる目安は5～8年といわれています。腹膜透析で透析の効果が得られなくなったら、血液透析か腎移植となります。（川村哲也）

Q 144 腹膜透析ではどんな合併症が心配ですか？

①**腹膜炎**……細菌が腹腔《ふくくう》内に侵入し、腹膜炎が起こることがあります。感染経路は、カテーテル先端部やおなかへの出入り口、バッグとカテーテルを接合する部分などがほとんどです。腹膜炎になると、膿《うみ》で排液が濁ったり、腹痛や発熱などが起こったりします。感染予防には、カテーテルや出入り口を清潔に保つことが大切です。

②**被囊《ひのう》性腹膜硬化症（EPS）**……腹膜全体が厚く、硬くなって腸の動きが悪くなり、吐きけや嘔吐《おうと》、便秘、腹痛などの症状が現れる病気です。進行すると腸が癒着《ゆちゃく》して（くっついて）腸閉塞《へいそく》（イレウス）になることもあります。腹膜透析による合併症のなかでは最も重いものです。

③**その他**……血液透析と同様、造血ホルモン（エリスロポエチン）の不足から貧血になったり、ビタミンDが十分に活性化（体内で利用できる形にすること）されないことなどから骨がもろくなったりすることがあります（腎性骨異栄養症《じんせいこついえいようしょう》）。また、透析で十分除去できなかったアミロイドという物質により、手根管症候群が起こることもあります。

（川村哲也）

Q145 透析患者も運動療法を行ったほうがいいですか？

慢性腎臓《じんぞう》病の患者さんのなかでも、人工透析を始めている患者さんは、なんと同年代の健常者に比べて、最大酸素摂取量（体力の指標）が60％も低下しているという報告があります。

透析に時間を取られるうえ、透析中はベッドに寝ていなければならないので、透析を続けるうちにサルコペニアやフレイル（192ページ参照）を併発して、自立できなくなってしまう人も少なくありません。ところがそうした透析の患者さんにとっても、腎臓リハビリは大きな成果を上げています。

人工透析には通常4～6時間ほどかかるのですが、この透析の時間の前半を利用して、30～60分の腎臓リハビリを行ってもらうのです。それにより、筋力の回復だけではなく、透析中の血圧の低下まで抑えられることが明らかになりました。また、透析の影響で精神的に不安定になっていた方も、腎臓リハビリのおかげで、驚くほど前向きになることもあります。主治医やスタッフと相談のうえ、透析中の腎臓リハビリをぜひ検討していただきたいと思います。

（上月正博）

Q146 透析患者が災害に遭ったときはどうすればいいですか？

災害で避難を余儀なくされることを想定すると、透析を受けている人は、そうでない人以上に事前の備えと心構えが重要です。

①治療のために重要な情報を常に持ち歩く

透析施設などで、受診医療機関名、アレルギーや感染症、体重（ドライウエイト＝体内の余分な水分を除いた透析後の体重）などの情報を記入できる「災害時透析患者カード」を発行しています。災害のほか、事故に遭ったときなどにも役立つので、お薬手帳や保険証と一緒に、常に携帯しましょう。

②非常時に持ち出すものをそろえておく（下図参照）

③カリウムを多く含む食品を覚えておく（川村哲也）

透析患者の防災グッズ

携帯電話充電器、カードや通帳など貴重品、乾電池、懐中電灯、小銭、ラジオ、タオル、救急用具、はき慣れた靴など

Q147 透析患者でも旅行に出かけられますか？

出かけられます。ただし、しっかりと事前準備をし、旅先でも食事・水分制限を守ることが重要です。国内なら、旅行先や日程と透析を受ける日時を決めたら、通院している施設に相談する、インターネットで検索するなどして、旅先の透析施設を探します。あるいは、腎臓《じんぞう》病の患者会に入会して情報を得てもいいでしょう。必要な場合は、主治医に紹介状などを書いてもらい、旅先の透析施設へ送っておきます。

海外旅行でも、大都市ならたいてい透析施設があるので、きちんと準備をすれば旅行は可能です。煩雑な手続きなどをさけたければ、透析を受けながら国内・海外旅行ができるツアーを用意している旅行会社もあります。

腹膜透析をしている人は、必要量より多めのバッグや機材を持参するか、事前に旅先へ送っておきましょう。宿泊先に場所を確保してもらうなどの手配も必要です。

国内なら、公的医療保険や特定疾病《しっぺい》医療費受療証が利用できます。医療費助成を受けている場合は、事前に自分が助成を受けている自治体窓口に相談し、旅先の透析施設で明細などをもらう必要があるかなどを確かめておきましょう。

（川村哲也）

Q 148 透析を始めても腎臓を体内に残しておいていいものですか？

問題ありません。なぜなら、腎《じん》機能が低下して透析を始めても、腎臓《じんぞう》がわずかに働いていることがあるからです。尿が少し出ていたり、造血ホルモン（エリスロポエチン）をつくっていたりする場合があり、末期腎不全だからといって、すぐに腎臓を摘出しなければいけないわけではありません。

ただ、機能しなくなった腎臓を長い間そのままにしておくと、がんが発生することがあります。透析をしている人の腎がん発生率は、通常の人の15～20倍という報告があります。また、透析期間が長いと、腎がんを発症するリスクはさらに高まるといわれています。

しかし、透析をしている人の多くは透析施設で定期検診を受けており、腎がんも比較的早い時期に発見されることが多いのです。早期に発見して治療すれば、ほかへ転移することも防げます。透析をしている人は、定期的に医療機関で超音波検査やCT検査を受け、チェックしてもらうことが重要です。

（川村哲也）

Q149 慢性腎臓病で手術を行うことはありますか？

慢性腎臓《じんぞう》病の治療は食事療法や薬物療法が主体で、手術はそれほど多くありませんが、以下の場合には手術が行われます。

①尿路結石……慢性腎臓病の人の手術で最も多いのは、尿路結石です。尿路（腎臓、尿管、膀胱《ぼうこう》など）に結石ができた場合、まずは水分を多めにとって自然に排出されるのを促したり、結石を溶かす薬を服用したりします。それでも排出されない場合は、手術となります。しかし、最近では「体外衝撃波結石破砕術（ＥＳＷＬ）」（体外から衝撃波を結石に当てて砕く方法）が主流で、最近では、開腹手術はあまり行われなくなっています。

②腎臓がん……おなかやわき腹を切開して、副腎も含めた腎臓全体を摘出することが多いですが、がんが小さければ部分切除の場合もあります。

③ＩｇＡ腎症の扁桃《へんとう》摘出……ＩｇＡ《アイジーエー》腎症（43ジ（ペー）参照）の発症には上気道（気管支よりも上ののどの部分）感染が疑われており、細菌が住み着いている扁桃（のどの入り口にあるリンパ器官）の摘出手術が行われることがあります。

（川村哲也）

Q150 腎移植はどうすれば受けられますか？

腎《じん》移植は、提供された腎臓を移植し、腎臓の機能を回復する治療法です。透析とは違い、腎臓の機能がほぼ完全に回復するため、食事制限や透析も不要になります。

ただし、腎移植をすると拒絶反応があります。移植された腎臓を体が異物と見なし、免疫機能が働いて攻撃するためです。現代では優れた免疫抑制薬が開発され、拒絶反応はほとんど起こらないほどですが、生涯にわたって薬の服用は必要です。また、移植した腎臓が機能しなくなり、再び透析療法に戻ることもあります。

腎移植には、生きている人から1個の腎臓提供を受ける「生体腎移植」と、死亡した人（脳死、心臓死）から腎臓提供を受ける

腎移植手術のしくみ

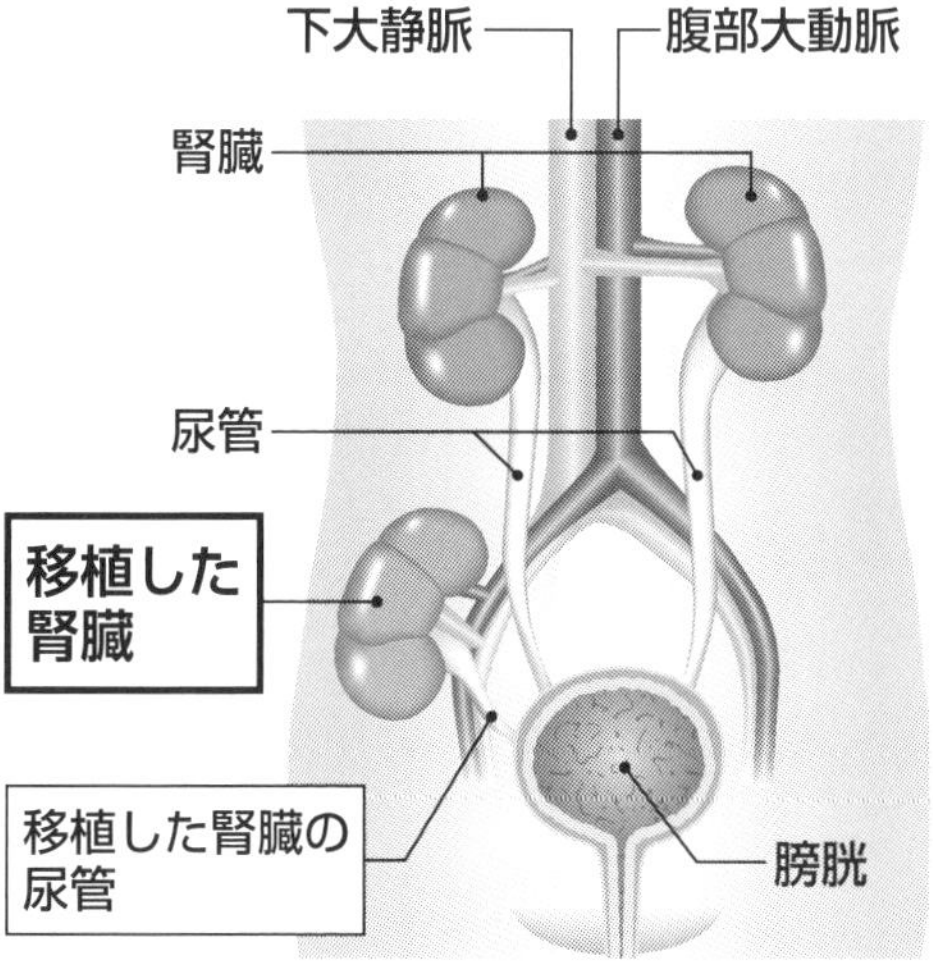

「献腎《けんじん》移植」があります。どちらも臓器を提供する人を「ドナー」、移植を受ける人を「レシピエント」と呼びます。

日本の腎移植は欧米に比べて歴史が浅いため、献腎移植のドナー登録が少なく、多くは家族や血縁者からの生体腎移植です。

生体腎移植は、日本移植学会の倫理指針で「親族からの提供に限る」とされています（親族＝6親等以内の血族、3親等以内の姻族。図参照）。しかし、実際にドナーになっている人を見ると、配偶者（0親等）のほかは2親等までの血族のうち父母、子、兄弟姉妹です。

献腎移植は、（社）日本臓器移植ネットワークでドナーとレシピエントの橋渡しをしています。希望者はこの組織への登録が必要です（https://www.jotnw.or.jp/）。

（川村哲也）

生体腎移植が認められる親族

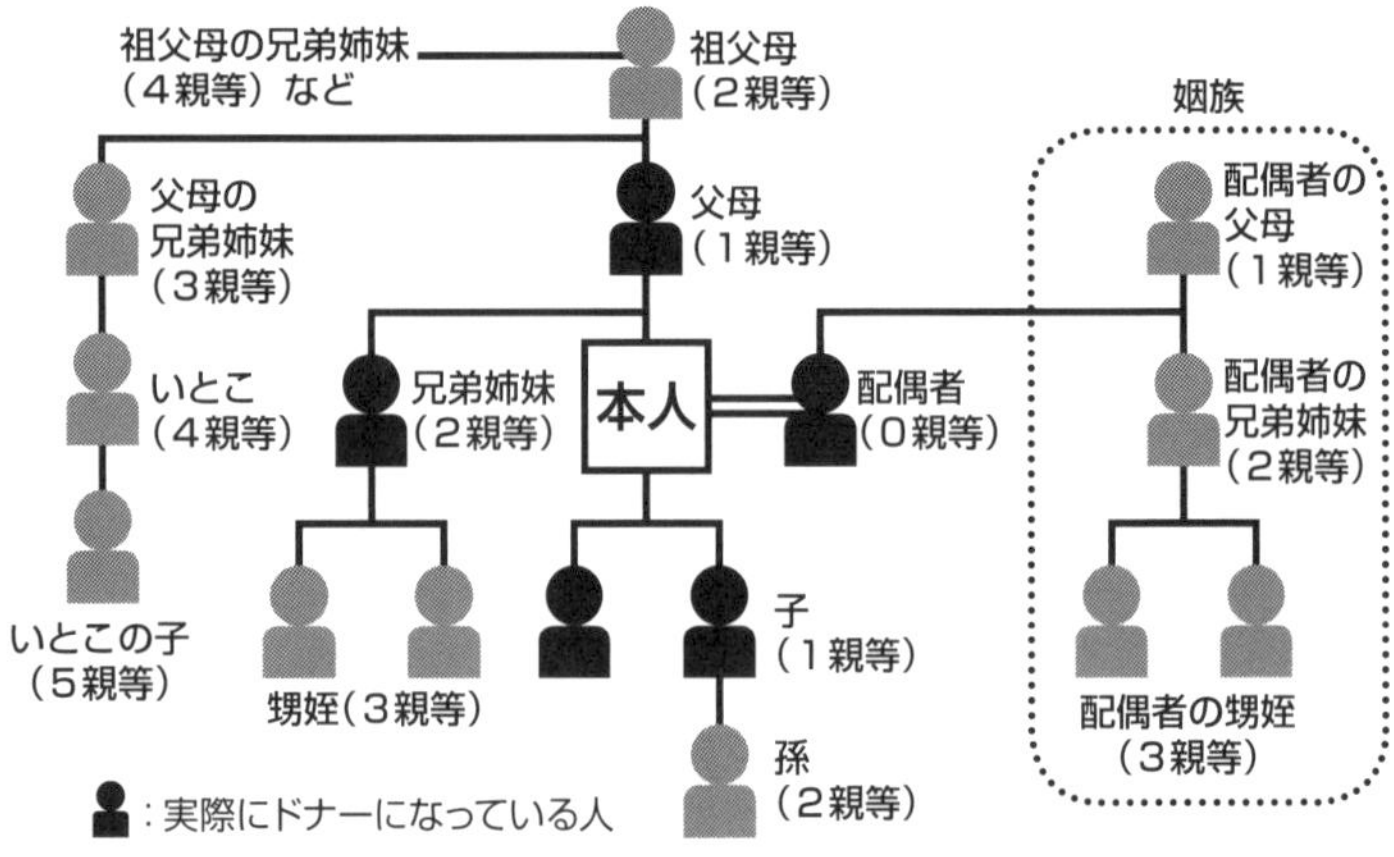

腎機能
慢性腎臓病・腎症
腎臓治療の名医が教える
最高の強化法大全

2020年8月12日　第1刷発行
2024年3月8日　第9刷発行

編集人	飯塚晃敏
シリーズ統括	石井弘行　飯塚晃敏
編集	わかさ出版
編集協力	酒井祐次　瀧原淳子（マナ・コムレード） 香川みゆき（フィジオ） 有田智子（beautyeditor.jp）
装丁	下村成子（ヴィンセント）
撮影	高橋昌也（fort）
モデル	三橋愛永
イラスト	デザイン春秋会　前田達彦
写真	Adobe Stock
発行人	山本周嗣
発行所	株式会社文響社 〒105-0001　東京都港区虎ノ門2丁目2－5 共同通信会館9階 ホームページ　https://bunkyosha.com お問い合わせ　info@bunkyosha.com
印刷・製本	中央精版印刷株式会社

ISBN 978-4-86651-293-8

本書は専門家の監修のもと安全性に配慮して編集していますが、本書の内容を実践して万が一体調が悪化する場合は、すぐに中止して医師にご相談ください。また、疾患の状態には個人差があり、本書の内容がすべての人に当てはまるわけではないことをご承知おきのうえご覧ください。

この本に関するご意見・ご感想をお寄せいただく場合は、郵送またはメール（info@bunkyosha.com）にてお送りください。